겁은 사제들

THE
PRIESTS

검은 사제들

✝

장재현 각본

을유문화사

감독의 말

명동의 뒷골목

어느 추운 겨울날 명동. 충무김밥을 먹은 뒤 맥도날드에서 소프트콘을 먹으며 입에 남은 염분을 제거하고 있었다. 입구 옆 창가 자리. 수많은 인파가 길을 메우고 있고 그 너머 명동예술극장 주차장. 어두운 구석에서 검은 옷의 누군가가 초조하게 담배를 피우고 있었다. 작은 서류 가방에 검은 코트. 뭔가 초조해 보이는 그 남자. 그리고 그의 목에 빛나는 로만 칼라.

밝은 길거리에 분주하게 움직이는 행복해 보이는 사람들. 그 너머 아무도 모르는 어둠 속에서 초조하게 담배를 피우는 신부. 난 마치 그가 세상을 구할 것만 같은 기분이 들었다.

이렇게 〈12번째 보조사제〉와 〈검은 사제들〉이 시작되었다.

세습무와 강신무

무속인들은 우리가 들을 수 없는 소리를 듣고 우리가 볼 수 없는 것을 볼 수 있다. 그리고 그 무속인들은 크게 두 종류로 나뉜다.

가족이나 스승에게 무업을 배워 신의 일을 하는 세습무. 핏줄의
업으로 인하여 고통받으며 신내림을 받아 신의 일을 하는 강신무.
김범신 신부와 최준호 부제는 세습무와 강신무이다. 장미십자회의
스승에게 구마를 배워 온 냉철한 구마사제 김 신부. 그와는 반대로
아픈 상처로 고통받으며 사제의 길을 걸으려는 보조사제 최 부제.
〈검은 사제들〉은 세습무인 김 신부가 강신무인 최 부제에게
신내림을 해주는 일종의 내림굿 이야기이다. 실제 내림굿을 보면
강신무의 모든 업을 다 들추어내 결국 운명을 받아들이며 진정한
무속인으로 다시 태어나게 해준다. 그 과정이 너무나도 슬프고
애잔하다.
이제부터는 고통과 희생으로 신의 길을 떠나는 구마사제의
탄생기이다.

악마

과거에는 누구나 신을 믿었다. 그래서 악마는 자신의 모습을
드러내 인간들을 위협하고 유혹했다. 하지만 요즘 시대는 아무도
진정 신을 믿지 않는다. 그러니 악마의 업무는 딱 하나뿐이다.
자신들의 존재를 숨기는 것. 만약 자신들의 존재가 드러나면
인간들은 다시 신의 존재를 믿게 되고 겸손해지기 때문이다.

붐비는 서울 도심의 거리. 그 구석 어두운 어딘가. 식물인간의 몸속에 숨어 있는 악마.

구마사제들이 묻는다. "왜 거기에 있는 것이냐."

악마는 소리친다. "우리는 증명할 것이다. 니들이 원숭이일 뿐이라고."

동물들은 아주 영리하고 정직하다. 절대 자신보다 크고 강한 짐승에게 덤비지 않는다.

하지만 우리 인간들은 합리적이지 못하고 비과학적이다. 내가 모르는 누군가가 물에 빠졌다고 서슴없이 깊은 물에 뛰어든다. 성경에서뿐만 아니라 우리 인간들에게 가장 큰 가치는 사랑과 희생이다. 악마는 저 보물들을 가진 우리를 질투할 뿐이다.

P.S.

신인 감독은 대부분 멍청하다. 들을 줄도 모르고 고집만 피운다. 최고의 배우들과 스태프들을 믿지 못하고 그저 안절부절만 했다. 영화의 완성본은 너무나도 거칠고 투박하고 도저히 눈 뜨고 봐줄 수가 없다. 하지만 어떡하겠는가. 그 시절 신인 감독 장재현의 실력인걸.

다시 시간을 돌릴 수 없으니, 저 때의 나에게 위로의 한마디를 해주고 싶다.

"영화는 엉망인데 잘 버텼다. 점점 나아질 거야… 장재현."

일러두기

1. 이 책은 지문, 대사(외국어 대사 포함), 문장부호 등 장재현 감독의 각본을
   최대한 살려 편집했습니다.

2. 오리지널 시나리오이기 때문에 완성된 영화의 설정, 대사, 장면과는 다를
   수 있습니다.

Prologue_1. 로마의 어느 동물원. 낮

암전에서 속삭이는 은밀한 목소리.

젊은 사제 (V.O)
Venerevole Padre.
존경하는 신부님.

늙은 사제 (V.O)
Cosa c´e?
왜 그러느냐?

젊은 사제 (V.O)
Avrei una domanda da porle.
여쭤볼 게 있습니다.

늙은 사제 (V.O)
Di che cosa si tratta.
무엇이냐.

화면 열리자 분주한 동물원의 풍경이 보인다.
한적한 벤치에 앉아 있는 검은 옷의 두 신부의 뒷모습이 보인다.

젊은 사제
Padre. davvero al mondo esistono quelle cose?
신부님. 세상에 그들이 정말 존재한단 말입니까?

늙은 사제

A cosa ti stai riferendo?

그들이라니? 누구를 말하는 것이냐?

젊은 사제

Mi riferisco alle zizzanie inseminate nel campo di grano
dal nemico durante il sonno.

저희가 잠든 사이 원수가 밀밭에 심어놓고 간 가라지들 말입니다.

늙은 사제

Non hai ancora capito?!

Loro stanno nascoste ovunque in tutto il mondo.

모르겠느냐?! 그들은... 세상 곳곳에 은밀히 숨어 있다네.

두 신부 앞쪽에 모여 있는 관람객들. 사람들에 가려져서 잘 보이지
않는 무엇인가.
카메라 천천히 관람객들 사이를 파고든다. 그 위로 다시 들리는
두 사제의 목소리.

젊은 사제 (V.O)

Perche mai stanno nascoste?

도대체... 그들은 왜 숨어 있는 것입니까?

늙은 사제 (V.O)

Perche... se loro venissero allo scoperto,
gli esseri umani inizierebbero a credere anche all′esistenza di Dio.

왜냐하면... 그들은 자신들의 존재가 들키게 된다면
인간들도 신을 믿게 되기 때문이지.

젊은 사제 (V.O)

Allora... loro a cosa assomigliano?
그렇다면... 그들은 무엇과 같습니까?

카메라가 관람객들을 지나치자, 쇠창살 우리 안에 보이는 커다란 사자.
졸고 있다.
통통한 남자아이 한 명이 사자에게 비스킷을 던진다.

늙은 사제 (V.O)

Loro sono dei leoni in gabbia.
그들은 우리 안에 묶여 있는 사자라네.

젊은 사제 (V.O)

Leoni? ...allora stanno semplicemente dormendo?
사자요? ...그럼 저렇게 그냥 졸고 있다는 겁니까?

늙은 사제 (V.O)
(한숨)
으흠...

젊은 사제 (V.O)

Mi perdoni, Padre.
죄송합니다. 신부님.

다시 비스킷이 날아와 사자의 얼굴에 맞는다.
누런 눈을 뜨는 사자.

젊은 사제 (V.O)

Allora se e cosi... cosa fanno agli esseri umani?
그렇다면 도대체... 그들은 인간에게 무엇을 합니까?

순간 사자는 창살 쪽으로 달려들어 크게 으르렁거린다. 크헝!
소리를 지르며 도망가는 관람객들.

늙은 사제 (V.O)

Il diavolo ingabbiato ringhiando ci incute terrore.
그들은 우리 안에 묶인 채 으르렁거리며... 인간들을 두렵게 한다네.

무섭게 사람들을 노려보는 사자. 그리고 그의 사나운 누런 눈동자.

Prologue_2. 여의도 금융빌딩 앞 / 차 안 / 도로 / 골목. 밤

/ 빌딩 앞
크헝~ 사자의 소리와 눈동자가 디졸브. 서울의 여의도. 고층 빌딩
사이에 떠 있는 으스스한 초승달. 끼익~ 소리와 함께 빌딩 뒷문에
멈추는 낡은 자동차. 그때 검은 물체를 안고 뛰어나오는 이탈리아인
늙은 사제. 서둘러 뒷좌석으로 몸을 던진다.

늙은 사제

Parti subito! Non c′e tempo!

빨리 출발해! 시간이 없어.

급하게 출발하는 자동차. 끼이익~

/ 차 안

급하게 운전을 하며 누군가와 통화를 하는 이탈리아인 젊은 사제.

젊은 사제 (통화)

Si si, era lui intanto l′espulsione e andata a buon fine!

맞습니다. 맞아! 그놈이... 일단 축출은 성공입니다!

전화기 너머로 들리는 다급한 목소리. 그리고 뒷좌석의 늙은 사제.
꿈틀거리는 검은 보자기를 안고 중얼거리며 기도를 한다. 꽥! 꽥!
발광하는 보자기 속의 물체.

젊은 사제 (통화)

Lo so! Accidenti... ma potevamo farlo solo oggi!

알아요! 빌어먹을... 근데 오늘밖에 기회가 없었다니까!

늙은 사제

Figliolo continua a pregare!

이 새끼야! 계속 기도해!

핸드폰을 집어던지고 다급히 기도를 시작하는 젊은 사제. 차의 속도를 높인다.

/ 도로

두 사제의 기도 소리가 들리는 자동차는 넓은 도로를 달린다. 그
옆으로 오토바이 한 대가 빠아앙~ 소리를 내며 위협하듯 지나친다.
잠시 후 갑자기 막히는 도로. 앞쪽에 무슨 사고가 났는지 차들이
움직이지 않는다. 초조한 젊은 사제는 주변을 살피다가 결국 급하게
유턴하여 반대편 좁은 골목으로 들어간다.

/ 골목

한적한 좁은 골목을 달리는 자동차.

/ 차 안

룸미러로 뒷좌석을 쳐다보는 젊은 사제. 붉은 묵주를 검은 보자기
위에 올려놓고 계속 기도하는 늙은 사제. 그때 갑자기 퍽! 하고 앞에
무엇인가 차에 부딪친다.
끼이익~ 급정지하는 자동차. 놀란 두 사제는 서로를 쳐다본다.

/ 골목

차 앞에 떨어져 있는 여학생의 작은 가방. 차에서 내린 젊은 사제는
조심스럽게 여학생에게 다가간다. 교복을 입고 쓰러져 있는 한 소녀.
다행히 신음 소리를 내며 꿈틀거린다. 당황한 젊은 사제가 차 안의
늙은 사제를 바라본다. 냉정하게 고갯짓을 하는 늙은 사제. 검은
보자기 안의 물체는 계속 꽥! 꽥! 거리며 발광한다.

cut to

끼이익~ 쓰러져 있는 소녀를 길가에 남겨놓고 다시 출발하는 자동차.
빠른 속도로 멀리 큰 도로에 진입하는 순간 쾅! 달려오던 자동차 한 대가
사제의 자동차를 밀어버린다. 충돌로 뒤집혀진 사제들의 자동차. 크게
다치지 않은 듯 멀뚱히 서로를 쳐다보는 두 사제. 잠시 후, 반대편에서
오던 트럭이 속도를 줄이지 못하고 다시 사제들의 차와 충돌한다. 쾅!
하며 밀려버린 자동차는 다시 골목 끝에 보이고, 도로는 잠잠해진다.

Insert
높게 떠 있는 초승달. 까악까악~ 사고 현장 위를 날아다니는 까마귀 떼.

/ 골목
다친 팔을 잡고 몸을 일으키는 소녀(18세. 이하 영신).

영신

(아파하며)

아...

영신은 가방을 다시 메고 멀리 보이는 사고 현장 쪽으로 비틀비틀
걸어간다.

/ 차 안
뒤집힌 채 반으로 찌그러진 자동차. 허리가 접힌 채 즉사한 젊은 사제.
그 옆에 피투성이가 되어 꿈틀거리는 늙은 사제. 보자기 속에서 검은
물체 하나가 빠르게 빠져나간다. 움직이지 못하고 그저 가만히 있는
늙은 사제. 피눈물을 흘리며 작게 속삭인다.

늙은 사제

Signore... la prego non ci abbandoni...
주님... 저희를 버리지... 마...소...서...

/ 도로

영신은 비틀거리며 연기가 나는 사고 현장으로 천천히 다가가는데,
검고 작은 물체 하나가 앞쪽에서 빠르게 다가온다. 그것을 자세히 보는
영신. 작고 검은 돼지 한 마리가 붉은 눈을 희번덕거리며 영신에게
빠르게 다가온다.
기이하게 달려오는 검은 돼지의 붉은 눈과 놀라는 영신의 눈동자.

1. 청량리 마리아정신병원_ 정 신부의 병실. 밤

TV 속에 보이는 성탄절의 행복한 명동 거리. 따뜻한 분위기의 허름한
병실 안.
벽에 걸려 있는 십자가와 낡은 신부복.
그리고 침대 바로 위 천장에 보이는 그림 속 성모마리아. 온화하게
웃고 있다.
초점 없는 눈동자로 침대에 멍하니 누워 있는 정기범 신부(70대 후반.
이하 정 신부).

김 신부 (V.O)

천국... 천국 하시더니... 영감쟁이 곧 가시겠네...
(쩝쩝)

환자의 침대 옆에 앉아 통닭을 먹고 있는 김범신 베드로 신부(50대 초반. 이하 김 신부).

김 신부
닭이라고 그러면 환장하시던 양반이... 쯧쯧...

벽에 붙은 TV에 시선을 고정하고 있는 정 신부. 입에서 침이 주르륵 흐른다.

김 신부
먹지도 못할 걸 괜히 사 왔네... 너도 좀 와서 먹어.

아그네스
아... 네.

병실 문에 초라한 크리스마스 장식을 걸던 수녀 아그네스(20대). 김 신부 옆에 앉는다.

김 신부
...니가 고생이 많다.

아그네스
아니에요... 그나저나 신부님께서 잠을 잘 못 주무셔서 걱정이에요. 계속 악몽을 꾸시나 봐요.

김 신부

...

(쩝쩝)

아그네스

밤중에 막 소리치셔서 달려오면 주변에 소금을 막 뿌리시고 그래요.

김 신부

업보지 뭐...

아그네스

네...?

김 신부

그냥 직업병 같은 거야. 있어 그런 게...

(쩝쩝)

사람들은 좀 찾아와?

아그네스

에이... 알면서 그러세요? 원로 봉사단에서도 그냥 저한테

봉사비 조금 주고는 이 병실은 들르지도 않아요.

워낙 꼬장꼬장하셨잖아요. 사람들이 어찌나 꺼리시던지...

김 신부

하이고 노인네... 저 승질머리 때문에 중풍 제대로 온 거네 아주...

정 신부

어우... 어우...

정 신부가 신음을 내며 움직이려 하자 아그네스는 정 신부의 입에서
침을 닦아주고, 몰래 낡은 소주잔에 생수를 따라서 정 신부 손에
쥐여준다.

아그네스

...이렇게라도 물을 따라드려요. 그럼 겨우 좀 마시시고...

정 신부는 떨리는 손으로 물을 마시지만 반은 그냥 흘려버린다.
그런 정 신부를 바라보는 김 신부의 안쓰러운 표정.

아그네스

근데... 신부님. 서울에는 웬일이세요? 무슨 일 있어요?

김 신부

간만에 노인네랑 일하러 왔는데... 에고... 어떡하냐~

무심히 계속 닭을 뜯어 먹는 김 신부. 그 위로 들리는 누군가의 목소리.

수도원장 (V.O)

꼴통입니다. 꼴통... 기본적으로 말이 안 통하는 인간입니다.
우리 수도회에서도 감당이 불감당이라니깐...

2. 명동 서울대교구 주교실. 밤

소파에 털썩 앉으면서 한숨을 쉬는 프란치스코회 수도원장(60대)과
그 옆에 보이는 몬시뇰(50대). 맞은편 소파에 앉아 있는 가톨릭대학교
학장신부(50대). 그리고 가운데 책상에 영문으로 된 문서를 보고 있는
주교(50대).

수도원장
내가 뭐 가가 행실이 좀 안 좋고, 성격이 지랄 맞은 거 가지고
이러는 게 아니야. 성직자로서 기본적인 개념이 없어...

주교
그 구마품 정기범 신부님이랑 같이 다니신다는 분이죠?

수도원장
네~ 그 노인네랑 같이 다니면서 아주 못된 것만 배워 가지고...
다~ 지 마음대로 하는 놈입니다.

주교
대구에 계셨다면서요?

수도원장
제가 꼴도 보기 싫어서 몇 년 전에 고향으로 보내버렸는데...
언제 또 올라와 가지고... 참 나...

3. 명동 서울대교구 건물 앞. 밤

휘몰아치는 눈발 속에 보이는 택시 한 대. 고즈넉한 주교관 앞에 멈춰
선다.
차에서 내리는 김 신부. 담배에 불을 붙인다.
연기를 내뿜으며 불 켜진 주교실의 창문을 바라보는 김 신부.

김 신부 (V.O)
아시아에서는 크게 상해에서 한 번, 싱가포르에서 한 번 있었습니다.
협회 자료에 따르면 후진국보다 선진국에서 자주 발견되는 게
요즘 추세이며...

4. 명동 서울대교구 주교실. 밤.

김 신부
보통 지금 병원에 계시는 정기범 가브리엘 신부님이
예식을 집행하였고, 저는 보조사제로 참석했었습니다.

불편한 침묵이 가득한 주교실 안. 말없이 한숨만 쉬고 있는 성직자들.

김 신부
아시다시피 이 구마예식이라는 것이 요즘은 다들
터부시 여기는 것이고 결과 또한 명확한 것이 아니어서...
제가 미리 자료를 제출하기에는...

주교

(말을 끊으며)

그래도 어떻게 상의 한마디 없이 바로 협회에
허가서를 제출할 수 있습니까? 우리가 뭐가 되겠어요.
쯧... 입장 참 곤란하게 만드시네요.

일어나 한숨을 쉬며 창밖을 보는 주교.

수도원장

베드로 형제. 저한테라도 먼저 언질을 주셨어야죠.
이게 도대체 무슨 소립니까?

김 신부

(답답하게)

어허... 참. 아니... 제가 몇 번이나 말씀드렸잖아요.
원장님께서 지금 그런 게 문제가 아니라며 신경도 안 쓰셨...

수도원장

(버럭)

야! 니가 헛소리한 게 한두 번이야! 그리고 너!
이성적으로 생각 좀 해봐라. 21세기에 대한민국 가톨릭이
구마를 한다고 사람들이 알아봐...

창밖을 보던 주교는 고개를 절레절레 흔든다.
불편한 침묵 속에 한숨만 쉬고 있는 가톨릭 간부들.

몬시뇰

마침 또 아는 사람이라면서요?

김 신부

네. 서울에 있을 때 알던 평신도 아이인데,
교통사고가 났다고 해서 병원을 찾았더니... 부마증세가 보였습니다.

몬시뇰

참... 우연이라고 하기엔 좀 그러네요. 김 신부님...

김 신부

...신은 여러 가지 방식으로 기회를 주곤 하신답니다...

몬시뇰

근데... 이거 꼭 해야 돼요?

수도원장

어허...!

몬시뇰

그냥 뭐 기도 좀 해주고...
간단하게 심리치료 해주면 되는 거 아닌가?

김 신부

네. 일단 부마자와 접촉하여 진단한 다음
간단한 사령일 경우 몇 차례 약식으로 해결되는 게 대부분입니다.

학장신부

간단한 사령이 아닐 경우는요?

침묵을 깨고 처음 말을 꺼낸 학장신부를 쳐다보는 성직자들.
조심스럽게 말을 이어가는 김 신부.

김 신부

우리나라에서 그럴 경우는 희박한데...
(잠시)
그렇다면 분명 장미십자회에서 추적넘버를 매겨 쫓고 있는
12형상들 중 하나입니다.

성직자들

...

김 신부

요즘 세상에도 이런 존재들과 전쟁은 유효합니다.
최선진 12개국의 누군가에게 숨어 정치, 사회, 경제적으로
인간 역사에 오류와 분열을 조장하는 마치 폭탄 같은 존재들이고...
이미 동아시아에도 몇 차례...

고개를 숙인 채 웃고 있는 몬시놀. 그리고 머리를 감싸고 있는 수도원장.

김 신부

(포기한 듯)
네... 압니다. 알아요. 흠...

(한숨)

사람들은 있잖아요. 참~ 이중적이에요.

성탄절 날은 아기 예수를 기뻐하면서

이런 얘기만 나오면 이성이니 논리니 따지기만 하고,

심지어 성직자들도 어떻게 신앙생활을 하면서...

표정이 굳어지는 성직자들.

수도원장

야! 지금 무슨 말하는 거야. 주교님 앞에서!

김 신부

(한숨)

아무튼 뭐가 그렇게 겁나시는지 모르겠는데...

지금 한 아이가 고통받고 있습니다. 그냥 모른 척하실 겁니까!

무엇인가 생각하는 주교.

그리고 주교의 눈치를 보고 있는 성직자들.

주교

설교 잘 들었고요. 아무튼 저는 반대합니다.

이런 거 요즘 사회에서 알게 되면 어떻게 되는지 알고 계시죠?

SNS다... 유튜브다... 조금만 이슈가 되어도

저희 가톨릭 이미지에 먹칠하게 되는 겁니다.

김 신부

...

주교

(원본 문서를 찢은 후)

그래서 저는 공식적으로 이거 반대합니다.

주교를 쳐다보는 성직자들.

주교

(책상을 두드리며)

공.식.적으로 반대한다고요.

김 신부

(작게 웃는다)

...

주교

저는 그만 나가보겠습니다. 회의들 하시다가 가세요.

자리를 피해 방에서 나가는 주교.

수도원장

참 나...

몬시뇰

(고개를 흔들며)

하...

학장신부

(문서를 보며)

그럼 허가서에 나온 대로 민간 의사하고 보조사제 한 명만 있으면

되는 거네요. 미리 얘기가 되어 있는 분이 있으신지...

반짝이는 눈으로 구마예식의 필요사항을 이야기하는 김 신부.

김 신부

네. 의사는 예식의 민간 증인이자 돌발 상황 때문에 있어야 하고,

이미 성북 가톨릭대학병원에 박현진 교수님과 얘기가 되어 있습니다.

그보다도 구마예식의 복사직이자 시종인 보조사제는

말이 보조사제이지, 사실 예식은

두 명의 구마사가 같이 행하는 것이나 다름없습니다.

그러니 아주 중요하고 생각보다 요건도 까다롭습니다.

주교실 창문 밖에 하얀 눈이 소복소복 쌓인다.

5. 성북 가톨릭대학병원. 낮

어느 병실 창문으로 모습을 보이는 영신.

창밖을 보자 몇몇 의사와 간호사가 누군가를 기다리고 있다.

몬시뇰 (V.O)

그럼 뭐... 간단하게 끝나는 거라고 알겠습니다.

그때 별이 새겨진 깃발이 꽂힌 검은 에쿠스 한 대가 들어와 로비
앞에서 멈춘다.
운전수와 경호원이 뒷좌석을 열자 젊어 보이는 장관이 목발을 한 채
차에서 내린다.

김 신부 (V.O)

네. 일주일 안에 끝내보겠습니다. 뭐 어린아이인데..
특별한 게 있겠습니까... 걱정하지 마십시오.

순간 쾅! 하고 에쿠스 옆 자동차 위에 떨어지는 누군가. 박살 나는 자동차.
놀라서 기겁하며 자리를 피하는 장관과 일행들.
차 위에서 꿈틀거리며 장관을 노려보는 영신. 작게 새어나오는 신음
소리와 피가 고인 눈이 껌벅거린다.

Text : 6개월 뒤. 음력 7월 15일

6. 로데오 거리 입구. 저녁

엄청난 인파들로 가득한 한여름의 로데오 거리 입구.
시끄러운 음악 소리. 화려한 네온사인들과 도로에 모여 있는 택시들.
지나다니는 젊은 사람들. 그 너머로 보이는 음침하고 어두운 한쪽 구석.

작은 흰색 돼지 한 마리가 목에 줄이 묶인 채 킁킁거리며 밝은 곳으로
나가려고 애를 쓴다. 카메라 천천히 목줄을 따라 어두운 곳으로
들어가자 살짝 보이는 흰색 로만 칼라.
작은 목소리로 라틴어 기도를 연습하는 소리가 들린다.

최 부제 (V.O)

...miserere imaginem tuam et explica servum tuum...
...모든 악과 악으로부터 오는 협박에서 당신의 모상을 구하시며...

최 부제(20대 후반)는 밝은 곳으로 걸어 나와 주변을 두리번거리며
시계를 본다. 돼지의 목줄을 단단히 잡고, 다시 중얼거리며 기도를
연습하는 최 부제의 얼굴. 그 위에 빠른 템포의 음악.

7. 보조사제 소개 몽타주.

/ 가톨릭대학교 강의실. 낮
검은 사제복을 입고 기말시험을 치고 있는 여러 명의 7학년 부제들.
맨 앞에서 답안을 열심히 적고 있는 최 부제의 뒷모습.
시험 문제인 로마서 8장 28절을 라틴어로 적고 있다. 빠른 그의 손놀림.

김 신부 (V.O)

장엄구마예식의 보조사제는 부마자의 언어를 서취하고
구마사의 말을 번역해야 하기 때문에
라틴어, 독일어, 중국어에 능통해야 합니다.

순간 멈추는 그의 손. 슬쩍 왼팔의 소매를 걷으니 팔에 빽빽하게 적혀 있는 컨닝페이퍼. 다시 빠르게 답안을 받아 적는 최 부제의 진지한 얼굴.

땡땡땡. 모두 시험지를 제출하고 나갔지만 같은 자리에서 계속 답안을 열심히 적고 있는 최 부제. 다른 사람들의 시험지를 들고 한심한 듯 최 부제를 내려다보는 교수신부.

교수신부

아야... 그냥 포기해라. ...어차피 다 틀렸구만.

최 부제는 어림없다는 듯 교수신부를 쳐다보고, 시험지를 꽉 움켜잡고 계속 답안을 쓴다.

/ 가톨릭대학교 기숙사 밖. 밤

어두운 밤. 고즈넉한 가톨릭대학교 기숙사. 그 위에 들리는 원감신부의 날카로운 목소리. '자. 취침!' 하나, 둘 불이 꺼지는 방들. 군데군데 들려오는 취침 기도 소리.

그때 기숙사 뒤편 2층의 창문 하나가 슬그머니 열리고 고개를 내미는 최 부제.

김 신부 (V.O)

배짱이 있어야 합니다.

그래도 어두운 영을 접하는 일이다 보니 용감하고 대범한 성격.

밖을 두리번거리다 냉큼 앞쪽의 풀밭으로 뛰어내리는 최 부제.

/ 가톨릭대학교 담벼락. 밤

신학교의 높은 담벼락. 그 위로 올라서는 최 부제. 의미심장한 그의 표정.
그리고 점프.

/ 편의점. 밤

절뚝거리는 다리를 끌고 소주와 맥주를 계산하고 가방에 집어넣는
최 부제.

/ 가톨릭대학교 기숙사 방. 밤

불이 다 꺼진 기숙사. 2층의 최 부제 방에 희미하게 보이는 불빛.
세 명의 다른 부제와 함께 플래시 불 아래. 맥주와 소주를 멋지게 섞는
최 부제.

다 같이

성부. 성자. 성령의 이름으로... 그리스도의 피!

원샷을 하는 최 부제의 얼굴.

최 부제

캬~

김 신부 (V.O)

그리고 은퇴하신 예수회 정기범 신부님의 '토테미즘과 해방' 수업을
이수한 사람이면 예식의 본질을 이미 잘 알고 있을 겁니다.

/ 가톨릭대학교 강의실. 낮

칠판에 그려진 여러 종류의 짐승들. 열변을 토하며 강의를 하고 있는
정 신부.
고개를 끄덕거리며 열심히 수업을 듣는 신학생들.
순간 정 신부가 날카로운 눈매를 번쩍이더니 분필을 누군가에게 던진다.

정 신부

야! 이 새끼야! 니가 처자는 동안 귀신이 니 몸속에 들어가는 거야!

분필을 맞고 벌떡 일어서는 어리버리하게 생긴 뚱뚱한 부제. 카메라
천천히 그를 지나 뒷자리의 최 부제에게 다가간다. 꼿꼿한 자세로
수업에 임하고 있는 최 부제. 손에 침을 발라 빠르게 책을 넘긴다. 앞에
뚱뚱한 부제 때문에 가려져 있는 만화책.

/ 가톨릭대학교 학장실. 낮
조용한 학장실. 7학년 부제들의 리스트를 보고 있는 학장신부.

김 신부 (V.O)

그리고 마지막으로 좀 까다로운 조건입니다.
50년, 62년, 74년, 86년생으로 호랑이띠.
로만예식서에 나와 있는 구마사 자질 별자리도 심지어 무속에서도
영적으로 가장 민감한 기질을 가지고 태어납니다.

부제들 사진 옆의 생년월일을 쭉 손으로 짚어보는 학장. 한 곳에 손이
멈춘다.
1986년 2월 14일생. 최준호. 해맑게 웃고 있는 최 부제의 증명사진.
서류를 책상에 던져놓고 깊은 한숨과 함께 자신의 머리를 감싸안는

학장신부.

학장신부
...왜 하필 이놈이야...

8. 가톨릭대학교 본관 복도. 낮

매미 소리가 가득한 무더운 여름의 가톨릭대학교 교정.
복도를 빠르게 걸어가는 신경질적인 외모의 여자 교직원(50대. 이하
안경주임).
그녀의 뒤를 따라가는 최 부제.

최 부제
주임님... 힘들어 보이시는데 천천히 좀 가시죠.

안경주임
천천히 가는 겁니다.

최 부제
학장신부님 화가 많이 나셨나요?
사실 이번 학기 성적은 제가 영성기도에 너무 집중하다 보니...

안경주임
10년 만에 서품보류 되는 부제가 나오겠네요.

최 부제

이와 같이 꼴찌가 첫째가 되고 첫째가 꼴찌가 되리라.

마태오 20장 16절.

사실 저는... 전부 성경 말씀 그대로 따라가기 위해서...

9. 가톨릭대학교 학장실 앞 복도. 낮

학장실 문을 닫고 걸어 나오는 김 신부. 얼마 전 겨울의 모습과는 많이
달라진 얼굴.

희끗희끗해진 머리에 수염 가득한 초췌해 보이는 야윈 모습이다.

학장실로 걸어오는 안경주임과 최 부제. 그 옆을 지나쳐 가는 고개
숙인 김 신부.

본능적으로 그를 슬쩍 흘겨보는 최 부제.

똑똑똑! 안경주임은 안경 너머로 최 부제를 노려보며 학장실 문을
두드린다.

10. 가톨릭대학교 학장실. 낮

통화 중인 학장신부. 방으로 들어와 인사를 하는 최 부제를 보고 대충
고개를 끄덕인다.

학장신부 (통화)

저희도 기사 보고 황당했습니다.

네... 참... 요즘 시대에 별사람 다 있죠?

뭐 파직했거나 아니면 사이비 이단이겠죠?

최 부제는 소파 테이블 위에 놓인 신문 한구석에 보이는 작은 기사를
본다.
'6개월 전 성북 가톨릭대학병원에서 여고생 자살 기도. 알고 보니
가톨릭 수도회 신부가 수차례 귀신 쫓기를 한 정황이 드러나...'

학장신부 (통화)
...아무튼 그럼 저희 측 입장은 그렇게 정리해주시면 되고요.
그건 프란치스코회 일이니... 아니...
MBC의 일을 KBS에 물어보는 거나 다름없는 거라니깐 참... 네~

전화를 끊고 깊은 한숨으로 최 부제를 바라보는 학장신부.

학장신부
응... 7학년 최준호.

최 부제
네.

학장신부
앉어 앉어... 86년생 호랑이띠 맞지?

최 부제
(자리에 앉으며)
...네.

학장신부

뭐 부모님이 출생신고 늦게 하시거나 더 빨리 하고 그러시진 않았고?

최 부제

그럼요.

학장신부

흠...

(한숨)

그래... 학교생활은 어때?

최 부제

뭐 7학년 졸업반이라 학업에 집중하다 보니...

학장신부

그래... 사실 모두 너가 7학년까지 무사히 왔다는 것도

기적이라고 생각은 하고 있어.

(서류를 보며)

아슬아슬하네 아슬아슬해...

최 부제

사실 좀 억울한 게 없는 건 아닙니다.

교구 성당들은 모두 진보적이니 현대적이니 그러면서,

신학교는 무슨 중세시대도 아니고...

이제 다 각자 나름대로의 구도 방법이 있는 거라고...

학장신부

...

(성색하며 최 부제를 노려본다)

최 부제

아. 아닙니다. 죄송합니다.

학장신부

흠... 좋은 소식이 있고 나쁜 소식이 있는데... 뭐 먼저 들을래?

최 부제

당연히 좋은 소식 먼저 듣겠습니다.

학장신부

좋은 소식은 이번에 교황님께서 방한하실 때,
우리 학교에 방문하신다는 거. 그래서 여름 방학 내내
학사들이 합창 연습을 할 계획이다.

최 부제

와~우~ 정~말 좋은 소식이네요. 쩝...

학장신부

나쁜 소식은, 자네는 합창 연습을 안 해도 된다는 거.

최 부제

...?!

학장신부

거기 신문 봤잖아.

최 부제

(신문을 자세히 보며)

이게 사실입니까?

학장신부

대구 상인동에 있는 프란치스코회 김범신 베드로 신부라고...

그 은퇴하시고 병원에 계시는 정기범 신부님 알지?

최 부제

네... 3학년 때 수업을 들었습니다.

학장신부

그분과 같이 장미십자회라는 비공식 단체에 소속되어 있는 사람인데,

작년 겨울부터 한 아이에게 구마를 하고 있어. 나를 포함해서

몇몇 신부들만 비밀리에 이것저것 도와주고 있는 상황이고.

근데, 얼마 전에는 환자가 병원에서 뛰어내려 버렸어.

다행인진 모르겠지만, 죽지는 않고 식물인간이 됐는데도

계속 집착하고 있으시네. 참...

최 부제

...

학장신부

수도회 측에서 김 신부를 도와주는 보조사제가 하나 있는데...
좀 사정이 생겼나 봐. 그리고 수도회는 요즘 일손이
많이 딸린다고 그러고...

최 부제

설...마... 제가...

학장신부

각 교구에 주임 신부나 보좌 신부들한테 부탁하면
금방 소문이 퍼질 테고... 안 그래도 억지로 언론에도
입단속 시키고 있는 중인데...

최 부제를 바라보는 학장신부.

학장신부

뭐 별거 있겠어?

최 부제

왜 저죠?

학장신부

니가 그거 알아서 뭐 할라고? 다~ 심사숙고해서 너 부른 거야...
(일어나 책상으로 걸어가며)
아니다. 그냥 올여름 합창 연습 열심히 하자.
연습실 에어컨도 고장인데... 아주 따뜻하게 그냥...

최 부제

(자리에서 일어나며)

제가 딱 적임자 같습니다.

학장신부

(책상 위에 서류를 건네며)

입단속!

최 부제

(입에 엄지로 성호를 그으며)

Cum lingua sancta!

거룩한 혀!

최 부제 일어나서 서류봉투를 받는다.

학장신부

김 신부가 주고 간 거야. 살펴보고. 거기 주소가 하나 있는데,

김 신부를 도와주던 수도회 수사야. 가서 필요한 거 신송받아.

무슨 일이 있었는지... 잠수 타서 아무도 안 만나주고 있는 중이래.

최 부제

...네.

학장신부

그래도 다음에 갈 사람이 가면 만나주겠지...

최 부제의 얼굴 위에 들리는 천둥소리. 쿠구궁!

11. 강북 달동네. 낮.

비가 쏟아지는 강북의 어느 달동네.
빽빽하고 복잡한 주택가를 우산을 쓰고 걸어가는 최 부제.

학장신부 (V.O)
가서 무슨 일이 있었는지도 좀 슬쩍 물어봐. 김 신부에 대해서도...
소문도 그렇고... 워낙 평판이 안 좋은 사람이라.

허름한 골목. 앞에 보이는 갈림길.
손에 든 주소를 보고 오른쪽 오르막길로 걸어 올라가는 최 부제.

12. 박 수사의 집 앞. 낮

최 부제의 검은 우산은 허름한 2층 주택 앞에 멈추어 선다.
초인종을 누르지만 작동되지 않는다. 조금 열려 있는 대문.
어쩔 수 없이 슬그머니 대문을 열고 들어가는 최 부제.
순간 컹! 컹! 컹! 2층으로 올라가는 외부 계단 옆. 큰 개 한 마리가 묶인
채 사납게 짖고 있다. 컹! 컹!
겁먹고 뒤로 물러나는 최 부제. 개가 움직일 때마다 철컥거리며
팽팽하게 당겨지는 쇠줄.
어쩔 수 없이 최 부제는 옆으로 돌아가 계단 옆으로 기어 올라간다.

계단 밑의 개는 계속 최 부제를 향해 짖어댄다. 컹! 컹!

13. 박 수사의 집 문밖. 낮

겨우 계단을 올라가 쇠로 된 옥탑방 문을 두드리는 최 부제.

최 부제
...저기요. 마태오 수사님!

아무도 없는 듯 집 안에서는 대답이 없다.

최 부제
(혼잣말)
아무도 없나... 아이씨...

주변을 두리번거리는 최 부제. 굳게 닫혀 커튼이 쳐져 있는 창문.
다시 문고리를 잡고 흔들어보는 최 부제.

최 부제
저기요! 아무도 안 계시나요!

여전히 대답이 없는 집 안. 작게 나 있는 문틈 사이로 안을 훔쳐보는
최 부제.
순간 문틈 사이로 누군가의 눈동자와 마주친다.

최 부제

(깜짝 놀라며)

으악!

화들짝 뒤로 물러나는 최 부제. 안에서 작게 들리는 굵은 목소리.

박 수사 (V.O)

누구냐...

최 부제

저... 가톨릭대 학장신부님께서 보내서 왔습니다.

박 수사 (V.O)

근데.

최 부제

뭐 좀 받아 오라고 하셔서요.

박 수사 (V.O)

뭘...

최 부제

저... 김범신 신부님 아시죠?

박 수사 (V.O)

...모르는데.

네? 프란치스코회 마태오 수사님 아니세요?

박 수사 (V.O)

너 누구냐고...

최 부제

제가... 그... 대신 김 신부님 도와드릴 보조사제입니다.

박 수사

...

잠시 후 철컥하고 열리는 문.

14. 박 수사의 집 안. 낮

어수선한 거실. 박 수사는 아무 말 없이 자기 방에서 이것저것
자료들을 챙긴다.
좁은 부엌의 식탁 위에는 된장찌개와 밥에서 뜨거운 김이 올라오고 있다.

최 부제

죄송합니다. 식사 중이신데.

박 수사

...

최 부제

대문이 열려 있어서 그냥 들어왔습니다.

박 수사

......

최 부제

(머쓱하게)

안녕하세요. 최준호 부제입니다.

박 수사

(최 부제를 슬쩍 보며)

신학생이야?

최 부제

네.

박 수사

훗...

(비웃음)

이젠 아주 새파란 것들을 다 보내는구만...

짐을 잔뜩 들고 최 부제에게 다가오는 박 수사.

최 부제

...새파랗지는 않고요. 곧 서른입니다...

(박 수사의 얼굴을 마주하고)
그럼... 수사님도 호랑이띠면 6...2년...생...

박 수사
나 74 범띠야.

최 부제
(놀라며)
아... 죄송합니다.

나이에 비해 늙어 보이지만 강인한 인상의 박 수사.
최 부제와 눈을 마주치지 않고 자료를 하나하나 설명해준다.

박 수사
이건 로만예식서 영어본이고 이건 이탈리아어 원판이야.
거의 대부분 영어본을 많이 써.
그리고 이건 서취노트. 보조사제들이 적는 거고,
이건 녹음기... 테이프들... 그리고 이거는 김 신부와 연락하는 핸드폰.

박 수사의 팔에 피부병 같은 이상한 반점들의 흔적이 희미하게 보이고.
최 부제는 자료를 하나하나 살펴보다 핸드폰을 집어 들어 전원을 켠다.

박 수사
야! 켜지 마.

최 부제

아. 네...

(앞에 허름한 공책을 보며)

이게 서취노트군요.

노트에는 날짜별로 빽빽하게 글씨들이 적혀 있다.

최 부제

수사님...

(눈치를 보며)

근데 무슨 일이 있으시기에 그만두시는 거죠?

박 수사는 대답 없이 식탁으로 가 먹던 밥을 꾸역꾸역 먹기 시작한다.

자료들을 보는 척하며 은근히 박 수사의 대답을 기다리는 최 부제.

박 수사

...뭐 몸도 좀 안 좋고... 고향에 부모님께 좀 가봐야 할 일이 생겨서...

최 부제

아... 몸이 어디가 편찮으신데요...

박 수사

뭐... 과로 같은 거지 뭐... 좀 쉬어야 할 것 같아...

최 부제

아~ 네... 그럼...... 고향에 부모님은 무슨 일로...

박 수사

(발끈)

니가 뭔데 그런 걸 자꾸 물어봐!

최 부제

죄송합니다.

박 수사

쯧...

(잠시 후)

야... 내가 하는 얘기 잘 들어. 너... 그냥 거기 가봐야...

그때 밖에서 들리는 개 짖는 소리. 그리고 누군가 계단을 올라오는
소리가 들린다.

일어서는 박 수사와 최 부제. 잠시 후. 쾅! 쾅! 쾅! 누군가 문을 두드린다.

김 신부 (V.O)

문 좀 열어봐. 태근아...

숨을 죽이고 가만히 있는 최 부제. 박 수사를 바라본다.

아무렇지도 않은 듯 밥을 계속 먹는 박 수사.

김 신부 (V.O)

얼굴 좀 보자. 나와봐...

박 수사

...

문에 난 작은 구멍으로 보이는 김 신부의 눈.

김 신부 (V.O)
야... 야... 거기 있는 거 보여... 문 좀 열어봐! 인마!

박 수사
(단호하게)
싫습니다. 신부님.

김 신부 (V.O)
알았다니까! 얼굴만 좀 보자고...

박 수사
이번에는 본당 쪽... 아니 신학교까지 가셨네요.
거기서 사람 보내줄 거예요. 저는 그만 빠지겠습니다.

김 신부 (V.O)
...하... 아니다... 아닌 것 같다.
내가 그 핏덩이들이랑 어떻게 일을 하냐?

최 부제

...

최 부제는 가만히 두 사람의 대화를 듣고 있다.

김 신부 (V.O)

문 열어봐 이 새끼야! 지금 장난하는 줄 알아? 거의 다 됐잖아!

박 수사

(냉정하게)

다 되긴 뭐가 다 됐다고 그러십니까? 정신 차리세요. 신부님도...

김 신부 (V.O)

한 번만 도와줘. 이번이 진짜 마지막이라고!

(화를 삭이듯)

...

알았다... 나와봐 그럼... 밥이나 먹자.

박 수사

(울부짖으며)

싫다고. 그냥 가라고!

적막이 흐르는 방 안. 밖에서 짖고 있는 개 소리만 작게 들린다.
잠시 후, 쾅! 문을 걸어차는 김 신부.

김 신부 (V.O)

.... 병신 새끼.

계단을 내려가는 소리가 들리고, 잠시 후 깨갱! 하는 개 소리가 들린다.

식탁에서 걸어와 창밖을 내다보는 박 수사.

최 부제도 그 옆으로 다가와 창밖을 바라본다.

멀리 비를 맞으며 걸어가는 김 신부.

잠시 후, 아무렇지도 않게 식탁으로 가 먹던 밥을 꾸역꾸역 다시 먹는 박 수사.

최 부제

김 신부님이 뭐 잘못한 거라도 있...

박 수사

그냥 가라.

최 부제

네... 죄송합니다. 가겠습니다.

최 부제는 짐을 챙겨 가방을 메고 집을 나선다.

최 부제

(가다말고 돌아서)

근데... 수사님.

박 수사

야!

최 부제

뭐가 있긴 있는 겁니까?

박 수사

아니.

(쩝쩝)

최 부제

......

박 수사

아... 뭐가 있긴 있지. 저기 저 미친놈.

(쩝쩝)

최 부제

...네. 그럼 몸조리 잘 하세요.

15. 박 수사의 집 앞. 낮

쏟아지는 빗속에 보이는 을씨년스러운 박 수사의 집.
우산을 펴고 계단을 내려오는 최 부제.
컹! 컹! 계단 밑에서 계속 짖고 있는 개. 끊어질 듯 철컥거리는 쇠사슬.
최 부제 우산 아래로 개를 한참 노려본다. 알 수 없는 최 부제의 눈빛.

16. 주택가 / 버스 정거장. 낮

주택가 골목을 다시 내려오는 최 부제의 우산.

다시 갈림길을 내려오는 최 부제.

한적한 버스 정거장에 서 있는 최 부제의 뒷모습.

17. 버스 안. 해질녘

한적한 버스 안. 구석에 앉아 있는 최 부제.

비가 오는 창밖을 보고 있는 최 부제의 표정.

cut to

컹! 컹! 짖고 있는 박 수사 집의 개. 팽팽하게 당겨지는 쇠사슬.

flash back

어느 폐가(무당집)의 털이 다 빠진 큰 누런 개. 미친 듯이 짖어댄다.

끊어질 듯 팽팽하게 계속 당겨지는 개의 목줄.

침을 질질 흘리는 사나운 개의 이빨.

18. 성직자 숙소 앞. 저녁

숙소 앞에서 비를 피해 누군가를 기다리는 최 부제.

어깨와 머리가 젖어 있다.

flash back

폐가에 모여 있는 동네 사람들. 그 사이 아버지 품에 안겨 있는 어린

최 부제(13세).

탕! 탕! 사냥총으로 개를 쏴 죽이는 경찰관. 웅성거리는 동네 사람들.
최 부제의 눈을 가려주는 아버지의 팔. 바닥에 벗겨져 있는 누군가의
신발과 핏자국들.
그리고 폐가의 벽에 희미하게 남아 있는 무속 탱화 속의 장군.
붉은 얼굴과 무서운 눈으로 최 부제를 노려본다.

고개를 흔들며 기억을 떨쳐버리는 최 부제. 감기에 걸린 듯 오들오들
떤다.
잠시 후 건물 앞으로 들어오는 학장신부의 차.

19. 성직자 숙소 주차장 차 안. 밤

주차장에 세워져 있는 학장신부의 차 안.

최 부제 (V.O)
박 수사는 개인적인 사정으로 그만둔 것 같습니다.

앞 유리에 비가 강하게 떨어지고, 운전석과 보조석에 앉아 있는
학장신부와 최 부제.

학장신부
음... 또 뭐 특별한 건 없고?

최 부제
박 수사가 역시 김 신부에 대해 좀 안 좋게 말하더라고요.

학장신부

그래?

최 부제

미친놈이라고까지 하면서...

학장신부

흠... 그렇군.

최 부제

게다가 그쪽에도 뭐 별거 없다 그러네요.
아무리 구마품이 있으신 신부님이라고 해도... 이건 좀...

학장신부

수도회에서도 참 골칫덩어리라고 그러더라고.
알코올 중독에 행실도 안 좋기로 소문이 자자해.

최 부제

(콜록콜록)

......

학장신부

한여름에 감기라도 걸렸냐?

최 부제

아까 비를 좀 맞아서요. 괜찮습니다. 크흠...

학장신부

상황을 보니... 우리도 그냥 발을 빼는 게 맞는 것 같은데...

최 부제

그쵸...

학장신부를 멀뚱히 쳐다보는 최 부제.

학장신부

...왜?

최 부제

그럼... 합창 연습은...

학장신부

...흠...
(한숨)

20. 청량리 마리아정신병원 정 신부의 병실. 밤

조용하고 어두운 정 신부의 병실. 산소 호흡기로 숨만 겨우 쉬고 있는
정 신부.
멍하니 그런 정 신부를 노려보고 있는 어둠 속의 김 신부.
쿠구궁~ 천둥소리와 함께 번쩍이는 번개.
순간 구석에 앉아 있던 김 신부는 침대 밑에서 뭔가를 발견한다.

일어나 침대 밑에 처박혀 있는 상자를 꺼내보는 김 신부.

초라한 정 신부의 유품들. 그 사이로 보이는 개봉되지 않은 편지 뭉치.

21. 가톨릭대학교 기숙사 밖. 밤

어두운 밤. 계속 내리고 있는 장맛비. 취침 기도와 같이 하나, 둘
소등되는 기숙사.

카메라 천천히 어두운 최 부제의 창문으로 다가간다.

22. 가톨릭대학교 기숙사_ 최 부제의 방 / 성북 가톨릭대학 병원 병실. 밤

빗소리가 들리는 어두운 최 부제의 방. 책상 위에 놓여 있는 감기약
봉지. 그 너머로 보이는 가족사진(부모님과 어린 여동생). 침대에서
땀을 흘리며 오들오들 떨고 있는 최 부제. 박 수사 집에서 돌아가던
김 신부의 뒷모습을 떠올린다. 구석에 던져놓은 가방.

최 부제는 책상에 앉아 짐들을 하나하나 꺼내 보기 시작한다.

최 부제

지금 시대가 어느 시댄데... 이런 걸... 참...

이어폰을 낀 채 받아 온 테이프의 날짜를 확인하며 카세트에 넣고
재생한다. 앞으로 돌려가며 녹음 내용을 듣는 최 부제.

김 신부 (녹음기)

...깼어?

영신 (녹음기)

잠을 잘 수가 없어요. 신부님. 이상한 소리들이 들려요.

김 신부 (녹음기)

어떤 소리?

영신 (녹음기)

그냥 전부 다 들려요. 밖에 벌레들이 이야기하는 소리까지...

김 신부 (녹음기)

감기 같은 거야... 영신아...

영신 (녹음기)

아니에요... 신부님. 저도 대충 알아요.
뭔가 나쁜 게 제 안에 있는 거잖아요.

무표정의 최 부제는 테이프를 앞으로 돌려가며 계속 듣는다.

김 신부 (녹음기)

왜... 그러지 말고 이거 좀 만져봐.

영신 (녹음기)

저리 치우세요. 신부님... 제발요... 싫다고요.

김 신부 (녹음기)

가만히 있어... 그냥 한 번만 해보라고...

영신 (녹음기)

왜 자꾸 아무도 없을 때 오셔서 이러세요.
아빠 좀 불러주세요... 네? 저기요! 누구 없어요!

뭔가 이상한 것을 감지한 최 부제. 빠르게 다른 테이프를 넣고
플레이를 한다.

/ 가톨릭대학병원 병실. 낮

아무도 없는 병실에 등을 돌리고 멍하니 TV를 보고 있는 영신.
김 신부 의자에 앉아 영신을 흘겨보며 말한다.

김 신부

허허허... 간질이라고? 야 인마. 니가 그런 걸 어떻게 알아?

영신

TV에서 봤어요. 저는 제가 제일 잘 알아요.
머리 수술 좀 받으면 괜찮아진다고 그러더라고요.
(돌아보며)
근데... 주머니 속에 뭐야.

김 신부

어? 어... 뭐가?

영신

녹음기잖아.

김 신부

어?

(녹음기를 꺼내며)

이게 왜 여기 있지? 허허...

영신

(작게)

씨발 새끼...

/ **최 부제의 방. 밤**

탁! 테이프가 끝이 난다.

최 부제는 빠르게 다른 테이프를 넣고 감은 뒤 재생한다.

/ **가톨릭대학병원 병실(독실). 밤**

누워 있는 영신. 침대 옆에 모여 있는 세 명의 사람들.

보조사제 요한

(다급하게)

2월 8일 새벽 1시. 참석자 김범신 베드로 신부, 박현진 교수...

김 신부

새끼야... 됐고. 빨리 기도해. 시간 없어.

로만예식서를 펼쳐 들고 기도를 하며 침대로 다가오는 보조사제 요한.

영신

오늘 너무 피곤한데 그만하면 안 돼요? ...죽을 것 같아요.

김 신부

(조용하게)

아가리 닥쳐!

영신

자꾸 괴롭히면 창문으로 뛰어내릴 거야.

김 신부

지금 말하는 게 누구야...

영신

(아주 작은 목소리로 잡음과 같이)

Opus est ire ab hic.

신부님. 괜찮다니까 자꾸 그러세요. 누구 좀 불러주세요.

/ 최 부제의 방. 밤

최 부제 다시 돌려 볼륨을 크게 높인다. 잡음 때문에 그래도 잘 들리지 않는다.

영신 (녹음기)

(잡음과 같이)

Opus est ire ab hic.
신부님. 괜찮다니까 자꾸 그러세요. 누구 좀 불러주세요.

노트에 영신의 중얼거리는 것을 빠르게 받아 적는 최 부제.
'Opus est ire ab hic', 'Kill me... must escape...'

최 부제
(혼잣말)
죽여줘... 도망가야 해...

김 신부 (녹음기)
(나지막한 기도 소리)
근데 왜 자꾸 니 몸을 긁는 거야?

영신 (녹음기)
신부님이 저 만지셨잖아요. 전에 고향에서도 그러셨으면서...
서울까지 따라오셔서 저한테 왜 그러세요?
저 정말 신부님 좋아했는데...
(작게)
근데...... 아빠한테 아직 말 안 했어.

/ 가톨릭대학병원 병실(독실). 낮
침대에 웅크리고 앉아 있는 영신.
갑자기 옆에 있는 김 신부에게 주먹을 휘두르는 영신.
놀란 김 신부는 힘으로 영신의 손을 잡아 진정시킨다.

/ 가톨릭대학병원 병실(독실). 낮

멍하니 창밖을 살펴보고 있는 영신의 뒷모습.

잠겨 있는 병실 문을 두드리는 김 신부. 쾅! 쾅!

창밖을 살펴보던 영신. 순간 열려 있는 창문으로 떨어진다.

/ 최 부제의 방. 밤

최 부제 다른 테이프를 넣고 플레이를 하려는 순간. 갑자기 드륵드륵.

방문 쪽에서 이상한 소리가 들린다. 드륵드륵... 누군가 문을 긁는 소리.

놀란 최 부제. 이어폰을 빼고 말한다.

최 부제
누구세요?

아무 소리가 들리지 않는 문.

최 부제
재웅이야? ...원감신부님? 죄송합니다. 취침하겠습니다.

잠시 후 다시 문을 긁는 소리가 난다. 드륵드륵.

뭔가 이상함을 감지한 최 부제. 천천히 일어나 문으로 다가간다.

드륵드륵 문에서 계속 들리는 소리. 천천히 문 앞에 다가선 최 부제.

순간 빠르게 문을 열자, 앞에 보이는 건 박 수사의 집에 있던 커다란 개.

허걱! 놀란 최 부제 뒤로 물러난다.

크르르릉... 시커먼 개. 희미한 복도 불빛 속에서 최 부제를 노려보면서

으르렁거린다.

끊어진 쇠줄을 달고 비를 맞아서 물이 뚝뚝 떨어지고 있다.

천천히 뒤로 물러나던 최 부제. 책상 위 연필꽂이에서 날카로운 송곳을 꺼내 든다.

방으로 들어오며 다가오던 개. 크항! 순간 최 부제에게 달려든다.

개와 같이 몸싸움을 하는 최 부제.

결국, 송곳으로 미친 듯이 개를 찌른다. 눈이 뒤집힌 듯 개를 죽이는 최 부제.

얼굴에 피를 묻히며 수십 차례 개를 찌른 뒤, 진정이 된 듯 눈을 뜨는 최 부제.

순간 눈앞에 보이는 건 피투성이가 된 최 부제의 여동생이다.

최 부제

으헉!

짧은 비명과 함께 책상에서 잠을 깨는 최 부제. 식은땀이 가득하다.

책상 위 펼쳐놓은 여러 자료 속의 기괴한 그림과 사진들.

최 부제

하아... 하아...

그때 드르륵 진동하는 박 수사가 준 핸드폰. 전화를 받지 않고 가만히 있는 최 부제.

전화는 끊기고 잠시 후 다시 울리기 시작한다. 드르륵... 드르륵...

고민하는 최 부제. 결국 전화를 받는다.

최 부제

......하아... 하아...

(호흡)

김 신부 (전화기)

악몽을 꾸었나?

최 부제

네...

김 신부 (전화기)

뭘 봤는데...

최 부제

개를 죽였습니다.

김 신부 (전화기)

흠... 니가 나 좀 도와줘야겠다.

Text : 8일 뒤

23. 가톨릭대학교 사무실 앞 복도. 낮

쾅! 사무실 문을 세게 열고 나오는 안경주임. 빠른 걸음으로 복도로
걸어 나간다.
다급하게 계단을 올라가는 안경주임의 얼굴에는 짜증이 가득하다.

24. 가톨릭대학교 대성당 앞. 낮

성당 앞에 멈추는 안경주임. 문 앞에 붙어 있는 공지.
'9월 프란치스코 교황님 가톨릭대학교 방문 행사 연습 중'
문을 열고 들어가는 안경주임

25. 가톨릭대학교 대성당. 낮

수십 명의 신학생이 교수신부의 지휘에 맞추어 성가를 연습하고 있다.
안경주임은 조심스럽게 교수신부에게 다가가고, 잠시 이야기를 나눈 후.

교수신부
최준호! 7학년 최준호!

성가대 누군가
준호 합창 열외입니다!

26. 가톨릭대학교 대성당 앞. 낮

대성당 문을 쾅! 열고 걸어 나오는 안경주임.
다시 어디론가 짜증 난 듯 걸어간다.

27. 가톨릭대학교 기숙사 복도. 낮

최 부제의 방 앞에 도착한 안경주임.
문을 노려보며 거칠게 문을 두드린다. 똑! 똑! 똑!
잠시 후 문이 조금 열리고 초췌해 보이는 최 부제의 모습.

28. 가톨릭대학교 복도. 낮

빠르게 걸어가는 안경주임과 최 부제.

안경주임
왜 합창 연습에는 혼자 열외를 하신 거죠?

최 부제
(하품)
내버려진 돌이 모퉁이의 머릿돌이 되는 법이죠.

안경주임
훗... 또 무슨 잘못을 하셨기에 이번에는 수도회 수사님이 찾으시네요.

최 부제
네? 아...!

빠르게 뛰어가는 최 부제.

29. 가톨릭대학교 사무실. 낮

사무실로 급하게 들어와 전화를 받는 최 부제.

최 부제
(어른스럽게)
네. 최 부제입니다.

전화기 너머로 소리치는 김 신부의 목소리가 들린다.
방학이라 텅 빈 사무실. 안경주임만 자기 자리에 앉아 사무를 보고 있다.

최 부제
(입을 가리고 작게)
학교여서 핸드폰 사용이... 네. 죄송합니다.
(안경주임의 눈치를 보며)
네 옆에 있습니다.

안경주임은 안경 너머로 최 부제를 노려본다.

최 부제
오늘... 알고 있습니다. 저는 저녁때 뵙는 걸로... 네...

최 부제는 안경주임의 눈치를 보며 펜으로 손바닥에 메모를 한다.

최 부제
(작게)

네... 네.

빠르게 손바닥에 쓰이는 글씨. '명동대교구 택배. 작은형제회 돼지. 7시 로데오 입구.'

최 부제
(작게)
네... 잘 알겠습니다. 그럼 이따...

그냥 끊어져버리는 전화. 노려보고 있는 안경주임.

최 부제
안경주임님, 저 지금 외출증 좀 끊어주십시오.

안경주임
(비웃음)
훗... 왜요?

최 부제
외부 세미나가 있어서요.

안경주임
장난하지 마세요. 무슨 세미나요?

최 부제
음... 우주탄생과 성경해석요.

안경주임

...

(노려본다)

최 부제

(자신만만)

...학장님께 전화해보시든가요.

30. 가톨릭대학교 기숙사 최 부제의 방. 낮

급하게 방문을 열고 뛰어 들어오는 최 부제.

김 신부 (V.O)

오늘이 음력 7월 15일. 중원절. 우란분재라고 부르기도 하지.

불교에서도 그렇고 무속에서도

그리고 심지어 유대교에도 똑같이 나와 있어...

방은 예식을 준비한 흔적이 가득하다. 널브러져 있는 사진과 책들.

벽에 순서대로 붙어 있는 구마예식의 절차들과 그림들.

최 부제는 방을 가득 채운 자료들을 하나하나 다시 살펴보며 백팩에

집어넣는다.

김 신부 (V,O)

음기가 가장 가득한 날이고

하늘에서 아귀들에게 공덕을 베푸는 유일한 날이야...

오늘이 우리에게 유일한 기회이고...

긴장이 서려 있는 최 부제의 얼굴.
거울 앞에서 옷을 챙겨 입고, 목에 로만 칼라를 끼워 넣는다.
그 위에 들리는 합창단의 노랫소리.

31. 가톨릭대학교 성모상 앞. 낮

합창 소리가 들려오는 대성당 건물의 화려한 창문. 카메라 천천히
내려오면 건물 뒤편의 소박한 성모마리아 상. 그 앞에 멈춰 서는
최 부제.

최 부제 (V.O)
......천주의 성모마리아님
이제와 저희 죽을 때에 저희 죄인을 위하여 빌어주소서...

반팔 사제복을 입고 큰 배낭을 멘 채 성모상 앞에서 기도를 하는
최 부제. 가슴팍에 성호를 긋는다.

32. 가톨릭대학교 앞 도로. 낮

무더운 여름의 도시 열로 가득한 시끄러운 도로.
급한 걸음으로 학교에서 내려와 지하철 쪽으로 걸어가는 최 부제.
그때 뒤에서 들리는 자동차 클랙슨. 빵빵! 돌아보니 학장신부의 검은색

세단이 최 부제 옆에 멈추어 선다.

학장신부

타. 지하철역까지 태워줄게.

33. 차 안. 낮

막히는 도로를 달리는 학장신부의 차.
땀에 젖은 테니스복을 입은 학장신부와 보조석에 최 부제.

학장신부

조금만 늦었으면 못 만날 뻔했다야... 일찍 출발하네?

최 부제

네. 대교구하고 수도회에서 뭐 좀 받아 오라고 해서요.

학장신부

참 나... 그냥 잔심부름 다 하는 거네...

최 부제

그게... 제1구마사는 노출되어 있어서 위험하고,
보통 준비는 노출되지 않은 보조사제가 하는 겁니다.

학장신부

허허... 준비 많이 했는 모양이네... 오늘 김 신부는 처음 만나지?

최 부제

네... 몇 번 통화만 했습니다.

학장신부

좀 긴장한 표정인데?

최 부제

네?

(머쓱하게)

별거 있겠습니까? 그래도... 궁금은 하네요.

학장신부

궁금하다... 최 부제...

이번 교황님께서 취임사 마지막에 하신 말씀 혹시 기억하나?

최 부제

...음... 그게... 뭐더라...

학장신부

Con l'istinto e l'intelligenza brillante dell'uomo...

최 부제

인간의 빛나는 이성과 지성으로...

학장신부

알다시피 가톨릭은 아주 이성적이고 대중적인 종교야.

지금까지 미신과 불합리와 싸우면서
겨우 이렇게 현대적인 이미지를 만들었어.

최 부제
네. 알고 있습니다.

학장신부는 비상등을 켜고 차를 지하철 입구 옆에 세운다.

학장신부
니가 굳이 가보겠다니까 보내는 주는데...

최 부제
네.

학장신부
공식적으로 보내주는 건 아니야. 알지?

최 부제
네.

학장신부
그리고...
(최 부제를 흘겨보며)
김 신부를 도와주라고 보내주는 것도 아니고...

최 부제

...!

놀란 표정으로 학장신부를 바라보는 최 부제.

cut to
최 부제가 차에서 내리자 멀어지는 학장신부의 자동차.
의미심장한 최 부제의 얼굴.

34. 지하철. 낮

흔들리는 지하철 안. 지하철은 한강 다리 위로 올라온다.
창밖을 바라보는 최 부제의 얼굴. 복잡한 표정이다.

flash back
다시 차 안의 최 부제와 학장신부.

학장신부

애 아버지가 고소했다가 합의를 했다고 그러더군.
그리고 그 사람이 애한테 몹쓸 짓도 좀 했다고... 그러더라고...
가서 하나하나 빠뜨리지 말고 전부 감시하고 확인하고 와.

학장신부가 작은 캠코더를 최 부제에게 건넨다.

학장신부

몰래 좀 찍어 와. 도대체 무슨 짓을 하고 있는지.

주교님도 확인하셔야 되고...

지하철은 다시 어두운 터널 안으로 들어가고,

창문에 비치는 최 부제의 얼굴이 선명해진다.

학장신부 (V.O)

이제 그만 말려야 될 사람이야.

⟨*F.O*⟩

35. 강북의 어느 여관. 낮

화면 열리면 전깃줄에 앉아 있는 까마귀 한 마리. 그 너머로 허름한
2층 여관이 보인다.

커튼이 쳐진 좁고 어두운 여관방 안. 술병들이 군데군데 널브러져 있다.

정 신부의 병실과 같이 침대 위 천장에 붙어 있는 성모마리아 성화.

슬퍼 보인다.

화장실에서 들리는 양치하는 소리. 카메라 천천히 다가가자 거울을
보며 무표정으로 양치를 하는 김 신부의 뒷모습이 보인다.

화장실에서 나와 TV를 켜고, 커튼 사이로 밖을 조심스럽게 살펴보는
김 신부.

여전히 그를 노려보듯 앉아 있는 커다란 까마귀.

진동이 계속 울리는 탁자 위에 전화기. 드륵드륵. 김 신부는 전화를
받지 않는다.

러닝셔츠 차림으로 작은 의자에 앉아 담배를 피우는 김 신부. 안경을
낀 채 탁자 위의 사진과 편지들을 하나하나 다시 살펴본다. 그중 낡은
폴라로이드 사진 하나. 김 신부와 같이 웃고 있는 한 소녀. 영신이다.
사진을 바라보는 냉랭한 김 신부의 표정. 그 위에 들리는 영신의
노랫소리.

영신 (V.O)

나는 세상의 빛입니다. 나를 따르는 사람들~

flash back

화창한 날. 작은 성당 앞에 단체 사진을 찍으려고 모여 있는 성가대
여고생들.
조금 떨어진 나무 밑에서 성가대 옷을 입은 채 김 신부 앞에서 노래를
부르고 있는 영신.

영신

어둠 속을 걷지 아니하고 생명의~ 콜록...

(음이탈)

김 신부

됐어... 됐어. 더 이상 못 들어주겠다야... 아무래도 성가대는 아닌...

영신

무슨 소리예요... 신부님보다는 잘하거든요.

김 신부

야... 나도 너 나이 때는 노래 잘했어... 지금은 담배를 많이 피워서...

영신

그러니까요... 이번 기회에 담배 좀 끊으세요... 또 잔소리한다고...

/ 강북의 어느 여관

사진을 보는 무표정의 김 신부. 탁자 위의 붉은 묵주를 손으로
만지작거린다. 마디마디 장미가 새겨져 있는 붉은 묵주.
잠시 후, 김 신부는 담배를 비벼 끄고 영신의 사진을 찢어버린다.
카메라 천천히 그의 뒤로 다가가자 보이는 팔에서부터 등까지 퍼져
있는 기괴한 검은 반점들!

36. 명동 거리. 낮

번잡한 명동 거리를 다급히 걸어가는 최 부제. 높이 보이는 고즈넉한
명동성당.
검은 사제복의 최 부제는 사람들의 무리에서 홀로 벗어나 성당으로
올라간다.

김 신부 (V.O)

토마스 몬시뇰한테 내가 보내서 왔다고 말해.
그럼 이탈리아 아시시에서 온 물건을 하나 건네줄 거야.
오늘 꼭 받아와야 해. 반드시...

37. 명동 서울대교구 복도. 낮

직원의 안내를 받으며 높은 복도를 걸어가는 최 부제.
이미 땀으로 다 젖은 등판과 겨드랑이. 앞에 보이는 대성당.

38. 명동 서울대교구 대성당. 낮

여러 명의 신부와 수녀들이 3D 안경을 쓰고 커다란 TV 앞에 모여
있다. TV 설치를 마친 삼성전자 직원이 성직자 앞에서 사용설명을 하고
있고, 그 가운데 앉아 있는 큰 덩치의 토마스 몬시뇰. 그에게 다가오는
최 부제. 3D 안경을 낀 채 그를 바라보는 몬시뇰.

최 부제
저... 김 신부님이 보내서 왔습니다.

몬시뇰
아... 김 신부면...

최 부제
김범신 베드로 신부님요...

몬시뇰
...김범신...
(한참 고민)
...아! 네...!

39. 강북의 어느 여관 앞. 낮

여전히 까마귀 한 마리가 김 신부의 방을 뚫어지게 쳐다보고 있다.
잠시 후, 그 여관으로 급하게 뛰어 들어가는 아그네스.

40. 여관 안 / 복도. 낮

소리 없이 멍하니 TV를 보고 있는 김 신부.
쿵쿵쿵 급하게 방문을 두드리는 아그네스.

아그네스
신부님... 김 신부님... 아그네스예요. 헉헉...

김 신부
...

아그네스
신부님... 안에 계시는 거 알아요. 전화 좀 받으세요.

김 신부
...

아그네스
급한 일이 있어서 왔어요. 헉헉... 문 좀 열어보세요.

김 신부

급한 일이고 자시고 오늘은 안 돼.

아그네스

무슨 말이에요... 병원에 좀 가보셔야 해요... 신부님...

TV를 끄는 김 신부. 표정이 어두워진다.

김 신부

...왜 노인네 죽기라도 했냐?

아그네스

...하아... 하아... 정 신부님이... 헉헉...

김 신부
(참으며)

미안한데... 장례 좀 잘 치러줘... 고생 많이 하신 분이다.
다 사정이 있어서 그러니깐 니가 좀 이해해라...
너무 모질다고 그러지...

아그네스
(말을 끊으며)

그게 아니구요! 정 신부님이 지금 막 깨어나셨어요!

김 신부

...!

41. 명동 서울대교구 신청사 엘리베이터. 낮

신식 신청사 복도. 커다란 엘리베이터 문이 열리자 화려한 옷을
입은 고위 성직자들이 보인다. 엘리베이터를 타는 몬시뇰과 최 부제.
몬시뇰은 짜증 나는 듯 계속 통화 중이다.

몬시뇰
(작은 목소리)
아니... 택배 관리하는 사람이 누굽니까!
무슨 점심을 하루 종일 먹냐고... 빨리 직접 찾아보세요...

초라한 반팔 사제복을 입은 최 부제를 힐끗거리며 보는 고위 성직자들.

몬시뇰
그러면 택배 회사에 전화를 해봐야 할 거 아닙니까...
바티칸이 아니고 이탈리아 아시시! 그래요... 일처리 참...

42. 택시 안. 낮

도로를 달리는 택시.

아그네스 (V.O)
의식이 거의 없으셔서 이제 끝이구나 하고
마음의 준비를 하고 있는데...

앞좌석에 타고 있는 아그네스와 뒷좌석의 김 신부.

아그네스
갑자기 정신이 돌아오신 거예요.

김 신부
멀쩡하게?

아그네스
네. 제정신으로요. 그러시더니 갑자기 김 신부님을 찾으시는 거예요.
급한 거라고 생각은 안 했는데... 의사 선생님이
돌아가시기 직전에 보고 싶은 사람을 갑자기 찾곤 한다고...
빨리 모셔 오라는 거예요.

김 신부
참... 다행이네. 물어볼 게 많았는데...

아그네스
잘됐네요. 제가 해경수녀님께 정 신부님이 좋아하시던
통닭도 좀 사드리라고 부탁까지 하고 왔어요.
그리고 몸도 좀 씻기셔야 할 듯해요. 냄새가 너무 나서서...

김 신부
뭐라고? 무슨 냄새...

아그네스

의식을 찾으시면서 갑자기 무슨 썩은 내가 심하게 나세요.

주변에 아무도 못 갈 정도로...

뭐 돌아가실 때가 되셔서 아마 그런 듯해요.

김 신부

...

아그네스

아무튼... 하느님께서는 참 은혜로우시죠.

이렇게 임종을 앞두고 사랑하는 사람을 만날 시간을 주시다니...

행복한 표정으로 자신의 가슴에 성호를 긋는 아그네스.

김 신부

(창밖을 보며 냉랭하게)

그러시게... 참 고마우신 분이네...

43. 명동 서울대교구 신청사 몬시뇰의 사무실. 낮

화려한 몬시뇰의 사무실. 책상 위의 전화로 어디론가 다시 전화를 하는 몬시뇰.

몬시뇰

꼭 오늘 받아야 하는 건 아니죠?

최 부제

아니요. 오늘 꼭 받아 오라고 김 신부님께서...

말을 끊으며 유창한 이탈리아어로 통화를 하는 몬시뇰.
수화기 너머로 들려오는 날카로운 이탈리아 목소리.
몬시뇰을 바라보고 있는 최 부제.
몬시뇰은 석연찮은 표정으로 전화를 끊으며 최 부제의 눈치를 본다.

몬시뇰

유럽 사람들이 참 일처리가 늦어요. 오늘이면 도착을 해야 하는데...

날카로운 손톱으로 책상을 탁탁 치며 전화를 기다리는 몬시뇰.
책상 밑 작은 냉장고에서 비타민 음료를 꺼내 최 부제에게 건넨다.

몬시뇰

더운데 좀 마셔요.

최 부제

네. 잘 마시겠습니다.

음료를 열고 벌컥벌컥 마시는 최 부제.

몬시뇰

구마라는 것이 뭔가 특별해 보이지만 예전부터
권력 때문에 생긴 일종의 헤게모니예요. 사람들에게 종교에 대한
두려움과 권위를 얻기 위해서 만든 것이기도 하지요.

모든 종교에도 다 있듯이... 저도 유학 시절에 몇 번 봤는데,
대부분이 투렛증후군이나 다발성경화증이더라고요.

최 부제

네...

(끄덕끄덕)

몬시뇰

후훗... 근데 웃긴 건 신부들이 기도해주면
그게 호전되기도 한단 말이지. 일종의 비타민이죠.

최 부제는 자신이 들고 있는 비타민 음료를 바라본다.

몬시뇰

옛날에는 비타민제가 없었거든. 후훗...

최 부제

그쵸... 근데 오늘 받을 게 무슨 물건입니까?

몬시뇰

아... 모르시는구나. 프란치스코의 종이라고...
고대 수도승들이 악귀가 들린 동물이 있는 숲을 지날 때
그 종을 치면서 지나갔다고 하더군요.
성 프란치스코가 직접 만들었고...

최 부제

아~ 저도... 책에선 봤습니다.

몬시뇰

그래도 그거 나름대로 아시시에서는 국보급 보물이에요.

이거 부탁하는데도 엄청 고생했습니다.

장엄구마에 이거 없으면 큰일이죠.

뭔가 놀라는 최 부제. 그때 전화벨이 울리고, 바로 전화를 받는 몬시뇰.

몬시뇰(통화)

아니. 미치겠네. 알겠어요. 어쩔 수 없지...

전화를 끊은 몬시뇰은 최 부제를 바라보며 애써 미소를 짓는다.

44. 명동 서울대교구 신청사 복도. 낮

울상으로 복도를 걸어 나가는 최 부제.

몬시뇰 (V.O)

미안합니다. 아마 내일이나 모레면 도착하겠네요.

저희가 받는 대로 연락드리겠습니다.

45. 청량리 마리아정신병원 복도 / 명동 서울대교구 앞. 낮

정 신부의 병원에 도착한 김 신부와 아그네스.
복도를 걸어가며 최 부제와 통화하는 김 신부.

김 신부

이 닭대가리 새끼야. 그건 니 사정이고...
말이 돼? 부탁한 게 언젠데...

/ 서울대교구 앞

최 부제

아니 그게... 제가 어떻게 할 수 있는 게 아니고요...
그쪽에서 그런 걸...

/ 마리아정신병원 복도

김 신부

니가 이탈리아로 날아가서 가지고 오든지...
아니면 만들어 오든지 알아서 해. 방법을 생각해보라고...!

/ 서울대교구 앞

최 부제

네? ...없다는 걸 제가 어떻게...

갑자기 걸음을 멈추는 최 부제. 앞쪽 멀리서 사람들 사이에 살짝
보이는 노란색 트럭.
전화기에서는 김 신부의 소리치는 소리가 계속 들린다.

김 신부 (통화)

아니다...

(한숨)

내가 어린 너한테 뭐 시킨 게 잘못이다. 다 내 잘못이야.

미안하다. 정말. 너그럽게 나 용서해주고.

그냥 씨발 거기 성당에서 기도나 하고 있어.

최 부제

잠깐만요. 잠깐만요.

점점 다가오는 DHL 택배 트럭. 최 부제를 지나쳐 간다.
혼자 중얼거리며 트럭을 계속 주시하는 최 부제.

최 부제

제발제발제발...

김 신부 (통화)

야 이 새끼야! 니가 지금 나한테 빌어봐야 소용없고...

트럭은 천천히 성당 입구를 지나칠 듯하다가 성당으로 올라간다.
최 부제의 반짝이는 눈과 입가에 미소.

최 부제

됐어요...! 금방 전화드릴게요.

전화를 끊어버리고 성당으로 뛰어 올라가는 최 부제.

/ 마리아정신병원 복도
정 신부의 병실 안에서 마스크를 한 수녀들이 수건과 오물을 가지고
나온다.

김 신부

(전화기에 대고)

야! 야! 뭐 이런 새끼가 다 있어?

전화를 끊고 정 신부의 병실로 들어가는 김 신부.

김 신부

(아그네스에게)

나 혼자 들어가볼게. 볼일 봐...

46. 청량리 마리아정신병원 정 신부의 병실. 낮

깨끗해진 병실 안. 전에 있던 성모마리아 성화와 십자가가 구석에
처박혀 있다.
그리고 휠체어에 앉아 게걸스럽게 닭을 먹고 있는 정 신부의 뒷모습.
천천히 정 신부에게 다가가는 김 신부.

정 신부는 거의 뼈만 앙상하게 남아 있고 얼굴에는 검버섯이 가득하다.

김 신부

...

정 신부

쩝쩝... 우리... 범신이가... 왔구나.

김 신부

......

정 신부

니가 얼마나 보고 싶었는지 아니? 쩝쩝...

김 신부

......

정 신부

무슨 일이 있는 거냐... 얼굴이 많이 상했구나...

김 신부

다 알면서 왜 그러세요.

47. 명동 서울대교구 사무동 앞. 낮

떠나는 DHL 택배 트럭. 사무동 앞에서 작은 DHL 택배 상자를
열어보는 최 부제.
구겨진 상자와는 다르게 물건은 아주 조심스럽게 포장되어 있다.
겹겹이 싸여 있는 물건을 꺼내니 아주 오래되어 부식된 작은 종.
최 부제는 종을 조심스럽게 살짝 흔들어본다. 땡그렁! (작게)
순간 명동성당 근방에 있던 수십 마리의 비둘기들이 퍼드덕 하늘로
날아오른다.
그것을 못 본 최 부제는 싱겁게 고개를 갸우뚱하며 다시 종을 챙겨
넣는다.

48. 청량리 마리아정신병원 정 신부의 병실. 낮

복도를 살펴본 뒤 병실 문을 슬그머니 잠그는 김 신부.
휠체어에 앉아 있는 정 신부를 들어 침대로 옮긴다.

김 신부

신부님. 침대에 좀 누우셔야겠어요.

정 신부

그래... 많이 무겁제?

김 신부

좀 무겁네요. 여러 명을 동시에 안는 것 같습니다.

정 신부를 침대에 눕히고 침대에 걸터앉는 김 신부.

정 신부

어제 꿈에 내가 천국에 갔다가 온 것 같구나... 범신아...

김 신부

천국요...? 그냥 거기 계시지 왜 오셨어요... 참...

정 신부

글쎄... 거기서 커다랗고 새하얀 거미가 나한테 천천히 걸어오더라고.

김 신부

아~~ 거미요...

김 신부는 주머니에서 작은 가죽 케이스를 꺼내 연다.
안에 꽂혀 있는 작은 성유통과 붉은 묵주 그리고 작은 십자가.

정 신부

근데... 그 거미가 나한테 다가오는데...
햐... 어찌나 냄새가 향긋하던지... 마치 그게 천국의 향기 같더구나.

김 신부

그래서요.

정 신부

그래서 가만히 있으니까... 그 거미가 내 다리를 꽉 무는 게 아니겠냐.

김 신부

어이쿠... 아프셨겠네...

김 신부가 정 신부의 바지를 걷자 다리에 거미에게 물린 흉터가 보인다.

정 신부

아니야... 그게... 하나도 안 아프고 오히려 정신이 맑아지는 게야...
그리고 갑자기 니가 생각나는 게 아니냐... 참... 허허.

김 신부

왜 그럴까요... 평소에 그렇게 구박만 하시더니...

정 신부

섭섭하게 그게 무슨 말이냐... 범신아. 내가 널 얼마나 아끼는데...

김 신부는 성유를 손에 찍어 정 신부의 발목과 손목에 십자가를 그어준다.
그때 갑자기 김 신부의 손목을 꽉 잡는 정 신부.

정 신부

범신아. 오늘 나하고 같이 있어주면 안 되냐.
내가 얼마 안 남은 것 같구나...

김 신부

저 바쁜 거 아시잖아요. 이거 놓으세요...

정 신부

어디를 가는데... 응? 니 스승의 마지막 부탁을 거절하는 거냐?

김 신부의 손목을 더 세게 잡는 정 신부.

김 신부

이거 안 놔! 사령 주제에 어디 거사를 막을라고 그래!

49. 정동 작은형제회 앞. 낮

분주한 정동의 길거리. 길가에 모여 있는 전경 버스와 경찰차들.
그리고 뭔가를 시위하는 사람들의 모습. 그리고 대치 중인 전경들.
그 사이를 무심히 지나쳐 가는 최 부제.
의외로 도심에 자리 잡고 있는 프란치스코 작은형제회. 고즈넉한 건물.
최 부제는 빠르게 건물 안으로 뛰어 들어간다. 그 위에 들리는
김 신부의 목소리.

김 신부 (V.O)

박 수사가 수도회로 돌아갔다니까... 가서 박 수사를 찾아.

그리고 돼지를 받아 오면 돼.

그리고 웬만하면 거기 수도원장하고는 마주치지 말고...

50. 정동 작은형제회 중앙공터. 낮

시끄러운 길거리와는 다르게 적막한 수도회 안. 고즈넉하고 폐쇄적인
본관 앞 공터.
허겁지겁 뛰어 들어와 주변을 두리번거리는 최 부제.
잠시 후 건물들 사이로 은밀히 지나가는 몇몇 사람들이 보인다.
최 부제 조심스럽게 그들을 따라가고.
수사복을 입은 두 명이 주변을 두리번거리며 은밀하게 건물 지하로
들어간다.

51. 정동 작은형제회 본관 지하통로. 낮

어두운 건물 지하. 아무도 보이지 않는다. 두리번거리는 최 부제.
주변을 살피며 미로 같은 지하통로를 걸어 들어가는데.
잠시 후 뒤에서 또 다른 몇 명의 수사들이 짐을 들고 최 부제를 지나쳐
간다.
그들을 따라 더욱 어두운 지하통로로 깊게 들어가는 최 부제.

52. 정동 작은형제회 본관 건물 지하. 낮

앞에 보이는 커다란 철문. 조심스럽게 문을 열어보는 최 부제.
비밀기지 같은 분위기의 축축하고 넓은 지하실. 수십 명의 수사와 젊은
대학생들이 바쁘게 촛불집회를 준비하고 있다. 쌓여 있는 촛불들과
현수막들. 몇몇은 현수막에 래커를 뿌리며 글씨를 쓰고 있다. '천주교

정의실현 사제단', '숨겨진 것은 드러나기 마련이다'. 서로 바쁘게
움직이는 사람들. 최 부제는 옆에 지나가는 한 수사를 붙잡는다.

최 부제

저... 박태근 수사님을 좀 찾고 있는데요?

젊은 수사

저는 다른 지부에서 와서 잘 모르겠습니다.

어쩔 수 없이 지하를 돌아다니며 수사들의 얼굴을 둘러보는 최 부제.
한쪽에서 뒷모습이 비슷한 누군가 상자 정리를 하고 있다.

최 부제

저기... 박 수사님!

돌아보는 수사. 다른 사람이다.

늙은 수사

네?

최 부제

아... 아니에요. 저 혹시 박태근 수사님 아시나요?

그때 뒤에서 들려오는 목소리.

누군가

박 수사는 왜?

최 부제 돌아보니 현수막에 글씨를 쓰고 있던 누군가. 수도원장이다.

최 부제

아... 아... 아닙니다.

그를 알아보고 그냥 돌아서 가는 최 부제.
뭔가 의심스러운 듯 최 부제를 따라오는 수도원장.

수도원장

누구야? 자네는?

최 부제

그게... 그냥...

울상으로 수도원장을 바라보는 최 부제.

53. 정동 작은형제회 본관 복도 끝. 낮

조용한 복도 끝에 서 있는 최 부제와 수도원장.

수도원장

그래서 니가 박 수사 대신으로 간다는 거야?

최 부제

네. 그렇습니다.

수도원장

왜?

최 부제

네?

수도원장

거기 왜 가냐고?

최 부제

그게 학장신부님께서...

수도원장

아니... 쓸데없는 소리 하지 말고...
내가 너네 학장한테 전화해줄 테니 그냥 돌아가.
이 인간이 이제는 본당에까지 가서 애들을 써먹어?

돌아서서 문을 열고 나가는 수도원장.
최 부제 그를 따라붙는다.

최 부제

원장님. 무슨 일입니까? 네?

수도원장

(멈추며)

야! 니가 지금 몇 번째인지 알아!

최 부제

네?

수도원장

열 명도 넘는 수사들이 거기 갔다 왔어.

최 부제

...!

수도원장

갸들 지금 수도회도 안 나오고 거의 연락도 두절이야.

최 부제

......

돌아서 가는 수도원장.

최 부제 잠시 고민하다 다시 달려가 그를 붙잡는다.

최 부제

그래서 가는 겁니다.

학장신부님께서 가서 확인하고 오라고 하셨어요.

애를 추행을 하고 있다는 얘기까지 있어서...

수도원장

(난처한 듯)

...

미치겠네. 진짜...

최 부제

원장님도 알고 계셨네요.

수도원장

흠...

최 부제

이번에는 제가 한번 확인하고 오겠습니다. 네?

수도원장

흠...

최 부제

...

수도원장

...박 수사는 저번 주에 잠깐 왔다가 고향으로 내려갔어.
부모님 좀 뵌다고 해서...

최 부제

(울상)

네? 그럼 돼지는요?

54. 정동 작은형제회 취사장. 낮

분주한 취사장. 몇 명의 아줌마들과 두세 명의 수사들이 같이 음식을
하고 있다.
수도원장은 취사장으로 들어와 누군가를 부른다.

수도원장

안토니오!

누군가 큰 칼로 도마질을 하다가 뒤를 돌아본다.
뚱뚱하고 먹성 좋게 생긴 수도승 안토니오. 뒤뚱뒤뚱 뛰어온다.

안토니오

부르셨습니까?

수도원장

마태오가 그 돼지 자네한테 맡겼지?

안토니오

...

수도원장

지금 이분이 데리고 가야 하니까... 빨리 가지고 와.

안토니오

...그게... 지금...

수도원장

원래... 이 사람 거래... 주인이니까 돌려줘야지. 어서.

안토니오는 고개를 숙인 채 아무 말 하지 못한다.

수도원장

왜 그래?

안토니오

...

수도원장

자네... 혹시...

얼굴이 일그러지는 최 부제.

수도원장

먹었나?

최 부제

안... 돼...

안토니오는 고개를 들고 수도원장을 바라본다.

안토니오

(정색하며)

원장님은 친구를 먹습니까?

어이없이 그를 보는 수도원장과 최 부제.

안토니오

이제 막 정이 들었는데...

어이없는 수도원장과 최 부제의 표정.

안토니오

꼭 데려가셔야 합니까?

수도원장

야! 빨리 안 가지고 와!

55. 청량리 마리아정신병원 정 신부의 병실. 낮

어느새 양팔이 침대에 묶여 있는 정 신부. 천장에 다시 걸려 있는
성모마리아 성화.
그리고 정 신부의 가슴에 놓여 있는 십자가. 그 위에 성호를 그어주는
김 신부.

김 신부

...성부. 성자. 성령의 이름으로 아멘.

무표정으로 짐을 챙기는 김 신부. 작은 목소리로 노래(순교자의 노래)를 흥얼거린다.

김 신부

~어지신 주교신부 웃으며 칼을 받고 겨레의 선열들이~

정 신부

범신아... 혼자 가는 거냐... 응? 오늘은 누구랑 가는 게야...

김 신부

~피 꽃을 몸에 피워 천당에 올랐어라 찰나의 죽음으로 영생을~

정 신부

그놈은 어디 있는 게냐... 응? 말 좀 해다오... 범신아...

56. 정동 작은형제회 취사장 뒤. 낮

최 부제는 바닥에 앉아 돼지를 뒤집어서 배에 난 점의 개수를 센다. 옆에서 그것을 보고 있는 수도원장과 슬픈 표정의 안토니오.

안토니오

근데... 뭐에 쓰시는 거예요?

수도원장

자네는 몰라도 돼. 가서 일 안 하나?

안토니오

부제님. 문 열어놓으면 화장실도 찾아가고
매운 거 먹으면 설사하더라고요.

최 부제

아... 네...

안토니오는 다시 취사장으로 뛰어간다.
최 부제는 돼지의 목줄을 매기 시작한다.

수도원장

그 안에 뭘 집어넣든 수육을 해먹든 다시는 데리고 오지 말고...
이제 우리는 모르는 일이야.

최 부제 목줄을 다 묶고 일어선다.

최 부제

네. 알겠습니다. 감사드립니다.

돌아서서 가는 최 부제. 갑자기 수도원장이 부른다.

수도원장

잠깐만!

수도원장은 최 부제에게 다가와 성호를 그어주며 짧은 축사를 해준다.

수도원장

몸 조심해... 무슨 말인지 알지?

최 부제

...

57. 청량리 마리아정신병원 정 신부의 병실. 낮

버둥거리며 침대에서 중얼거리는 정 신부.
김 신부는 계속 노래를 흥얼거리며 정 신부의 유품 상자에서 붉은
십자가를 챙긴다.

정 신부

말 좀 해봐라... 하아... 누가 같이 가는지... 응?

김 신부

~십자가 길을 걷는 검은 옷의 남자들이여 세상의 모든 유혹~

정 신부

다 부질없는 것이야... 밝은 곳에 있거라... 하아... 누구냐? 응?
가지 마라... 아니다... 범신아... 위험하다... 그냥 숨어라...
아무런 대가도 없어... 어디 있느냐, 같이 가는 수컷은...

오락가락하며 멍하게 중얼거리는 정 신부.
노래를 멈춘 김 신부는 그런 정 신부를 바라본다.

김 신부

저 오늘 혼자 가요. 안녕히 계세요.

돌아서 병실 문을 여는 김 신부.
하지만 밖에서 문이 잠겨 열리지 않는다. 철컥철컥.

김 신부

(어이없이 웃으며)

끝까지 왜 이러세요... 참...

순간 발로 문을 걷어차버리는 김 신부

58. 청량리 마리아정신병원 복도. 낮

쾅! 밖으로 부서지면서 열리는 병실 문. 안에서 걸어 나오는 김 신부.
씁쓸한 표정으로 정 신부를 뒤로하고 걸어간다.

59. 버스 안. 저녁

멍하니 앉아 무언가 생각하는 최 부제.
그리고 그 밑에 꿀꿀거리는 귀여운 돼지.

flash back

학장신부

뭐... 별거 있겠어?

몬시뇰

장엄구마에는 이거 없으면 큰일이죠.

수도원장

니가 몇 번째인지 알아? 몸조심해.

복잡한 표정으로 창밖을 보는 최 부제.
번잡한 로데오 거리가 보인다. 잔잔하게 들려오는 최 부제의 기도 소리.

최 부제 (V.O)

...miserere imaginem tuam et explica servum tuum...
...모든 악과 악으로부터 오는 협박에서 당신의 모상을 구하시며...

60. 로데오 거리 입구. 저녁

다시 #6의 로데오 거리 입구 골목. 어두운 한쪽 구석에서 기도를
연습하고 있는 최 부제와 돼지. 띠리링~ 전화벨이 울린다. 밝은 곳으로
나와 주변을 살피며 전화를 받는 최 부제.

최 부제

네. 도착했습니다. 세븐일레븐 옆 골목입니다. 아...

(하늘을 둘러보면서)

아직 달은 뜨지 않았습니다.

네. 길 건너서 시장통으로 들어오기 전 왼쪽 편에 있는...

네. 금방가겠...

(끊기는 전화)

똥개 훈련하는 것도 아니고...

투덜거리며 돼지를 끌고 인파들 사이로 들어가는 최 부제.

61. 영신의 집 골목. 저녁

번잡한 로데오 거리 사이에 보이는 좁고 허름한 골목.

검은색 서류 가방을 든 박현진 교수는 골목 초입에 서 있는 앰뷸런스를
보고 골목 안으로 뛰어 들어간다.

119요원

잠시만 비켜주세요. 잠시만요.

119요원들과 동네 사람들이 골목에 모여 있다.

구조요원 한 명이 뱀잡이 집게로 뱀 한 마리를 잡아 들어 올린다.

동네 주민 1

벌써 몇 번째야... 이런 곳에서 뱀이 자주 나오지...

고참 119요원

저희가 일단 구청에다가 얘기해놓을 테니...

동네 주민 2

저... 봐봐... 머리가 두 개야! 저거...

집게에 잡힌 뱀은 꼬리에 머리가 하나 더 있는 기이하게 생긴 뱀이다.
놀라서 웅성거리는 동네 주민들.
그 사이에 있던 박 교수는 아무도 모르게 어두운 계단으로 은밀히
올라간다.

62. 삼겹살 집 앞. 저녁

허름한 삼겹살 집 앞에 도착한 최 부제와 돼지.
안에서 소주를 마시고 있는 김 신부의 모습이 보인다.

63. 삼겹살 집 안. 저녁

TV를 보며 소주를 마시는 김 신부.
당당하게 다가오는 최 부제.

최 부제

(다부지게)

안녕하세요. 제가 최준호 부제...

김 신부

(짜증을 내며)

야. 돼지는 좀 밖에 묶어놔라! 넌 양심도 없냐? 삼겹살 집에... 쯧...

최 부제

아... 죄송합니다.

허둥지둥 돼지를 가지고 밖으로 나가는 최 부제.
한숨을 쉬며 다시 술을 마시는 김 신부. 벽에 걸려 있는 작은 TV.
〈그것이 알고 싶다〉를 본다. 화면에 보이는 프란치스코 수도원 전경.

리포터 (TV)

......가톨릭 귀신 쫓기와 관련하여 수도회 측에서는
아무런 답변을 내어놓고 있지 않는 상황입니다.
여기 뒤에 보이는 곳이 예식을 행했던 수도회 신부와 관련이 있는...

어느새 테이블로 돌아와 같이 TV를 보는 최 부제.
화면에 프란치스코 수도원장이 나와 인터뷰를 하고 있다.

수도원장 (TV)

같은 수도회의 사람도 아닐뿐더러 저희는 모르는 사람입니다.
다시 한번 말씀드리지만, 저희 수도회와 한국 가톨릭은 이번...

다음으로 TV에 나오는 가톨릭병원 전경. 인터뷰하는 의사 박 교수.

박 교수 (TV)

저희들 측에서도 전혀 그런 일이 있었는지 모르는 바이고,

환자는 극심한 스트레스와 가정불화로 인하여...

김 신부

다들 참 자연스러워... 그치?

김 신부는 최 부제를 바라본다.

멀쑥하게 가만히 있는 최 부제.

김 신부

넌 모르몬교처럼 생겼냐?

최 부제

네? 아... 가끔 듣습니다.

김 신부

새파랗구만. 새파래...

(한숨)

앉아.

최 부제

...네.

(자리에 앉는다)

김 신부

집은 어디고?

최 부제

용인 수지입니다.

김 신부

고향도?

최 부제

네. 그냥 거의 그 동네서 태어나고 했습니다.

김 신부

땅값 많이 올랐겠네... 아버지 직업은?

최 부제

부모님 두 분 다 교직에 계십니다.

김 신부

아버지는 무슨 차 타?

최 부제

네? 그냥... 뭐... 이번에 교감 되시면서 중형으로 바꾸셨다고...

김 신부

두 분 다 성당 다니시고?

최 부제

어머니만...

김 신부

형제는?

최 부제

...동생이... 하나 있었습니다...

그제야 최 부제를 쳐다보는 김 신부.

김 신부

...교통사고?

최 부제

...뭐 비슷한.

김 신부

자살?

최 부제

아뇨... 어릴 때 사고를 좀 당했습니다.

김 신부

무슨 사고?

최 부제

......

김 신부

말하기 싫으면 안 해도 되고...

김 신부 소주를 한 잔 마신다.

최 부제

...개한테 사고를 당했습니다.

김 신부

개한테? 음... 재밌네. 자세히 좀 얘기해봐...

눈빛이 변하면서 김 신부를 노려보는 최 부제.

최 부제

...뭐가 재밌으신데요?

김 신부

아니... 뭐... 근데 넌 뭘 그렇게 발끈하는데? 다 지난 일을...

최 부제

...

김 신부

짐승한테 죽으면 연옥에서 떠돈다는 이야기 알지?

에고... 슬퍼서 어떡하나... 눈물이 다 나오네.

화를 참으며 말없이 가만히 있는 최 부제.

혼자 자기 술잔을 채우고 술을 마시는 김 신부. 쌈을 싸서 입에 넣고
소리 내며 씹는다.

무엇인가 알 것 같다며 고개를 끄덕이는 김 신부.

김 신부

교육자 집안에 외아들만 남았으니 신부가 되는 걸

죽도록 반대하셨을 거고... 집에서 쫓겨나다시피 신학대로 온 아들은

맞지도 않는 사제 과정을 겨우겨우 버티고 있고.

신부가 돼 자기 자신을 바치면 연옥에 떠도는 동생이

천국에 갈 수 있다고 생각하는 멍청한 아들은

답답한 부모 마음도 몰라주고...

최 부제

...후훗

(비웃음)

재밌네요...

김 신부

왜? 아니야?

최 부제

...아는 게 많으신가 봐요. 구마사제님.

김 신부

범띠가 사제랑은 상극이야. 다 이런 사연들이 있어.
넌 별로 특별한 것도 아니야.

최 부제

(김 신부를 노려보며)

그럼 신부님은 어떠신데요...! 뭐가 그렇게 특별하신데요!

계속 고기를 집어 먹는 김 신부.

최 부제

왜? 핏덩이는 몰라도 되나요?

김 신부

이 새끼가...

불편한 침묵이 흐르는 테이블. 서로를 잠시 노려본다.
김 신부는 잠시 후 뭔가 만족한다는 듯 고개를 끄덕인다.

김 신부

...한잔할래?

최 부제

술은 안 먹습니다.

김 신부

그럼 말고...

자작하여 혼자 마시는 김 신부.

최 부제

박 수사님은 왜 그만두셨습니까?

김 신부

뭐... 내가 잘랐어. 겁도 많고 이래저래 잘 안 맞아.

최 부제

아~

(모른 척)

다들 말을 너무 아끼시는 것 같아서...

김 신부

놈들은 범죄자들이랑 비슷해.

자신의 존재가 알려질수록 더 깊게 숨어버리지.

들켜버리는 순간 이미 반은 진 것이나 다름없어.

최 부제

...

김 신부

다행히 수컷이 여자 몸에 들어갔으니까 가능한 일이야.
일종의 불시착이지. 그래서 우리한텐 행운이고...

최 부제

네... 그냥 잡으시면 되겠네요.

김 신부

근데...
(무겁게)
가끔은 인질을 잡고 있기도 한단 말이야...

김 신부는 씁쓸한 표정으로 마지막 잔을 따르는데 술이 없다.

김 신부

아이씨... 술이 없네.

최 부제

그만 드시죠... 벌써 많이 취하신 것 같은데...

김 신부

그래... 이제 달도 올라왔겠다.

64. 삼겹살 집 앞. 밤

고깃집 앞에서 돼지를 챙기는 최 부제. 안에서 계산을 하고 있는
김 신부를 바라본다.
가게 주인처럼 보이는 만삭의 젊은 여자와 실랑이를 벌이고 있는
김 신부. 지갑에서 돈을 꺼내주려고 하고 만삭의 여인은 받지 않으려고
한다. 결국 돈을 건넨 김 신부는 여자의 배를 만지며 웃는다. 그 모습을
수상하게 바라보는 최 부제.
잠시 후 고깃집에서 나오는 김 신부. 따라 나오는 만삭의 여인.

만삭 여자

오빠... 나 다음 달이야... 안 오기만 해봐...

김 신부는 건성으로 손을 들어주고, 최 부제를 지나쳐 멀리 보이는
화려한 유흥가 쪽으로 걸어간다. 돼지를 데리고 김 신부에게 따라붙는
최 부제.

김 신부

(돼지를 돌아보며)

어째 살이 좀 빠진 것 같아. 그놈 맞지?

최 부제

네. 확인했습니다.

김 신부

박 수사한테 확실하게 신송받았고?

최 부제

네.

김 신부

별말 없었어?

최 부제

뭐... 별거 없다고... 그러시더라고요.

갑자기 걸음을 멈추어 서는 김 신부.
최 부제의 이마를 손가락으로 밀며 충고한다.

김 신부

야! 우리 지금 5천 살 먹은 놈 만나러 가는 거야. 긴장해!

최 부제

...

앞에 먼저 걸어가는 김 신부를 노려보는 최 부제. 그 위로 나오는
북소리. 둥! 둥! 둥!
최 부제의 얼굴에서 움직이는 호랑이의 모습이 천천히 디졸브되어
나온다.

65. 다락방_살풀이 / 로데오 거리 몽타주. 밤

/ 다락방

격렬하게 무무(巫舞)를 하는 영주무당(20대). 붉은 옷에 수놓아져
있는 호랑이. 미친 듯이 모듬발 뛰기를 하는 무당의 왼손에는
여자아이의 교복, 그리고 오른손에는 방울이 힘차게 움직인다. 카메라
천천히 연꽃으로 만들어진 가림막 뒤에 숨어 진언을 외우고 있는
제천법사(50대)에게 이동한다. 북 위에 놓여 있는 귀신 글. 코에 땀이
가득한 채 주문을 외우는 법사와 그에 맞추어 엉엉 울면서 악기를
연주하는 세 명의 무녀들의 모습. 그리고 간소하게 차려진 상차림 위의
돼지머리.

/ 로데오 거리

커다란 보름달 아래 뜨거운 여름날의 로데오 거리. 수많은 인파와
화려한 네온사인. 그 사이를 요리조리 걸어가는 검은 옷의 두 사제.
무표정의 김 신부.
그리고 그의 뒤를 따라 걸어가는 최 부제와 돼지.

/ 다락방

기이하게 살풀이를 하는 무당 패들은 구석에 있는 환자 침대를 전부
등지고 있고, 카메라 천천히 그들을 넘어가자 하나하나 보이기 시작하는
의료기기들. 그리고 서서히 보이는 환자 침대 위 영신의 모습. 빡빡 깎은
머리의 중성적이고 비쩍 마른 영신의 얼굴. 조금 벌린 입. 코에 꽂혀
있는 산소 호스. 영락없이 숨만 쉬고 있는 식물인간의 모습이 되어 있다.

/ 로데오 거리

굿판이 벌어지는 불 켜진 영신의 다락방 창문. 그 건물 옥상에 빼곡히
모여 있는 까마귀들. 그리고 그 너머로 밑에 보이는 환한 로데오 거리.
그 사이 보이는 김 신부는 좁고 어두침침한 건물 사이로 들어간다.
주춤하다가 김 신부를 따라 들어가는 최 부제.

66. 영신의 집 골목. 밤

최 부제는 골목 안 영신의 집 계단 앞에 서 있다.
한쪽 구석에서 입에 손가락을 넣어 구토를 하는 김 신부.
잠시 후 담배에 불을 붙이며 최 부제에게 다가온다.

김 신부

여기 옥상 집이야. 한 대만 피우고 올라가자.

최 부제

네...

최 부제는 으슥한 골목과 계단 안을 훑어본다. 들려오는 까마귀들 소리.
까악까악~ 위를 올려다보니 마치 그들을 기다렸다는 듯 아래를
내려다보고 있는 수십 마리의 까마귀들.

김 신부

왜 겁나?

최 부제

네? 아뇨.

(웃음)

김 신부는 최 부제를 못 미더운 표정으로 바라본다.

김 신부

겁먹고 있다는 걸 들키지 않는 게 중요한 거야. 구마는 기싸움이야.

최 부제

네...

김 신부

쉽게 생각해. 우리는 일종의 용역깡패 같은 거야.
집주인이 알박기하고 안 나가니까 존나이 괴롭혀서 쫓아내는 거지.

최 부제

훗.

(웃음)

....네~

김 신부

내가 다 알아서 하는 거니까 크게 걱정하지 말고
보조사제는 절대 매뉴얼대로 하면 존재를 들키지 않아.
절대 쳐다보지도 말고 대답하지도 말고 기도 없이 듣지도 마.
그냥 내 언명을 반응에 따라 언어를 선택해서 반복하고

단계별로 연장들 준비해서 반응 끌어내면 되는 거야...

김 신부의 설명을 듣고 있던 최 부제. 어두운 골목 끝에서 무언가 보기 시작한다. 자세히 보니 박 수사 집에 있던 커다란 개가 쇠줄을 끌고 어슬렁거린다. 이상한 느낌을 감지한 최 부제. 더 자세히 보려고 하는 순간. 김 신부의 따귀가 날아온다. 찰싹!

김 신부

뭐 하냐!

최 부제

아닙니다. 죄송합니다.

김 신부 뒤를 돌아보니 아무것도 보이지 않는다.

김 신부

뭐... 헛것이라도 보이냐...

최 부제

(기분 나쁜 듯)

아닙니다.

김 신부

(슬쩍 웃으며)

새끼... 예민한 놈이네... 이거...

최 부제

...

김 신부는 최 부제를 쳐다보다가 날카롭게 질문한다.

김 신부

야! 형상 특징에 대해 말해봐.

최 부제

형상에는 사자 형, 뱀 형, 전갈 형으로 크게 나누어져 있고
아시아에서는 대게 대륙성 뱀 형이 많이 발생한다고 들었습니다.
하지만 이번에 박 수사님의 서취노트를 살펴본 결과
해당자의 가장 오래된 형상은 서방쪽 사자 형으로
장미회 넘버로 11호로 추측되고 있습니다.
1941년 중국 난징에서 독일 요한 신부님께서 마지막으로 발견하셨고
전쟁이 끝나고 놓쳤다고 들었습니다.

최 부제가 김 신부에게 대답하는 동안 지붕 위에 까마귀 한 마리.
난간의 화분에 내려앉는다. 덜거덕거리는 커다란 화분. 위태로워
보인다.

김 신부

됐고! 최종 목적과 축출단계는?

최 부제

예식의 최종 목적은 우선 출처와 시기 그리고 사령들에게 보호받는

가장 오래된 형상의 이름을 실토하게 만드는 것입니다.
그래서 이름이 밝혀지면 그릇으로 축출하고 한 시간 이내로
음귀이면 불로 태우는 소살법.
양귀일 경우 물에 빠뜨려 죽이는 익살법...

순간 위에서 떨어지는 커다란 화분. 김 신부는 재빠르게 최 부제를
끌어당긴다.
쾅! 하고 최 부제가 있던 자리에 떨어져 박살 나는 화분.
기겁하고 놀라 위를 쳐다보는 최 부제.
퍼드덕 날아가는 까마귀들.

김 신부

워... 니도 이제 슬슬 보이나 보다... 올라가자.

최 부제

......

계단을 걸어 올라가는 김 신부와 어리둥절한 표정으로 그를 따라
올라가는 최 부제.
건물 위에 보이는 왠지 으스스한 둥근 달. 그 위로 다시 들리는 징
소리. 둥둥둥~

67. 영신의 집 다락방. 밤

갑자기 춤을 멈추는 영주무당. 조용해진 방 안.

법사의 눈치를 보는 무녀들. 긴 라일락 담배에 불을 붙여 무는 제천법사.
영주무당은 지친 듯 허리를 숙인 채 헉헉거린다.

제천법사

말을 해 이년아. 아무것도 안 들리냐고!

영주무당

네... 헉헉... 죄송합니다.

제천법사

아이... 씨발 좆같네... 진짜...

잠시 고민하는 제천법사. 옆의 종이컵에 담배를 비벼 끄고 무녀들에게
말한다.

제천법사

야. 우두(牛頭)로 바꿔.

흰색 옷의 무녀들이 구석에 있는 커다란 보자기로 달려가 커다란
소머리를 가져온다. 영주무당의 등에 소머리를 묶어주는 무녀들.
그 너머에 아무런 작은 미동도 보이지 않는 시체 같은 영신.

68. 영신의 집 수선실. 밤

집 안에서 다시 살풀이 소리가 들려오고, 무표정으로 쌓여 있는

의류들을 다림질하는 영신의 아버지. 그 옆에서 그를 설득하고 있는
박 교수.

박 교수
이게 다~ 과정입니다. 영신 아버지... 오늘 정말 마지막이에요.

러닝셔츠 차림의 아버지는 아무런 반응을 보이지 않는다.

박 교수
제가 의사잖습니까... 영신이 아직 희망이 있어요.

그때 거실에서 영신의 남동생 병식(13세)이 나온다.

박 교수
...병식이는 잘 있었어?

박 교수가 옆을 지나가는 병식에게 반가운 듯 머리를 쓰다듬으려 하자,
박 교수의 손을 툭 쳐내버리는 병식.

아버지
(소리치며)
...멀리 가지 말고!

난처한 표정의 박 교수. 다시 영신의 아버지에게 부탁하며 매달린다.

69. 영신의 집 복도. 밤.

문을 열고 나온 병식. 복도 끝에 다가오는 김 신부와 최 부제를 보고
주춤한다.
병식은 그들이 겁나는 듯 벽에 딱 붙어 자신을 지나가길 기다린다.
그를 지나쳐 가는 김 신부. 장난삼아 병식에게 소리친다.

김 신부

워!

병식

(기겁하며)

...으아!

줄행랑을 치듯 뛰어가는 병식. 그리고 웃는 김 신부.
그때 쾅! 문이 열리고 밖으로 밀쳐지는 박 교수와 따라 나오는 아버지.

아버지

그만 좀 해... 이 사람들아!

박 교수

저 사람도 노력하고 있는 거 아시잖아요.

아버지

아니... 애를 저렇게 만든 게 누군데! 내가 그냥 저 새끼를...

박 교수

저희가 성의도 좀 보여드렸잖아요.

아버지

너무하네... 진짜... 꼴랑 2천만원 받고 그냥 털자고?

박 교수

오늘 진짜 마지막입니다...

아버지

됐고... 장기기증 사인도 다 했으니깐... 그냥 좀 그만하자고!

박 교수는 아버지를 계속 설득하며 집 안으로 다시 들어간다.

70. 영신의 집 복도 중앙. 밤

복도에 들려오는 살풀이 소리.
무기력하게 복도 가운데 쪼그려 앉아 있는 김 신부와 최 부제,

최 부제

안에서는 굿을 하고 있나 봐요?

김 신부

제천법사라고 꾸준히 오던 사람이야. 나름 실력 있어...
에고... 오늘은 좀 기네...

벽에 기대어 가만히 눈을 감고 있는 김 신부.

은은하게 계속 들리는 북소리와 처절한 주문 소리.

통역사 (V.O)

누군지 모르지만 코마 상태인 걸 보면

아직 숙주가 형상을 잡고 있는 게 분명하다. 정말 대단하다.

flash back 한적한 공중전화. 밤

뜯어진 편지 뭉치를 손에 쥐고 전화통화를 하고 있는 김 신부.

수화기 너머에서는 흥분한 이탈리아어가 들려온다.

장미십자회 (통화)

아직 가망이 있다. 그게 가장 나쁜 최선의 방법이다.

김 신부

그러니까 씨발 애를 죽이란 말이잖아...!

장미십자회 (통화)

살인이라고 생각하지 마라. 지금 그것을 잡는다면

앞으로 너희 동아시아에서 일어날 50명 이상이 죽는 모든 참사들을

전부 막는 거나 다름없다. 할 일을 하는 것이다.

김 신부

(수화기로 전화기를 내리치며)

말이 되는 소리를 하라고 말이...!

화가 치민 김 신부는 수화기로 공중전화를 반복해서 내리친다.

71. 영신의 집 다락방 / 다락방 문 앞. 밤

한창 진행 중인 살풀이. 등에 소머리, 손에는 칼, 발에는 영신의 신발을
신고 미친 듯이 점프하는 영주무당. 제천법사의 주문과 무녀들의
울음소리가 처절하게 들려오는 붉은 방문 앞. 그리고 문밖에서 계속
중얼거리며 절을 하는 영신의 어머니(이하 어머니).

72. 영신의 집 복도 중앙. 밤

복도에 앉아 있는 최 부제는 옆에 김 신부의 얼굴을 의심스럽게
쳐다본다. 알 수 없는 표정으로 가만히 눈을 감고 있는 김 신부.
카메라는 천천히 살풀이 소리가 들리는 영신의 집 쪽으로 다가간다.
점점 더 고조되는 북소리와 주문 소리. 그때 끼이익~ 열려 있는
현관문. 다름 아닌 교복을 입은 영신이 악기 소리에 맞추어 흔들거리며
걸어 나온다. 박 교수와 아버지는 영신이 보이지 않는 듯 계속 얘기를
하고 있고 카메라는 천천히 영신을 따라간다. 복도로 걸어 나가
흐느적거리며 천천히 김 신부에게 다가가는 영신. 최 부제도 영신이
보이지 않는 듯 계속 고개를 숙이고 있다. 영신은 김 신부 옆에 앉아
그의 어깨에 기댄다. 가만히 있는 김 신부.

영신
신부님... 사랑하는 신부님.

김 신부

...

영신

이제 그만하세요. 저 정말 괜찮아요.

김 신부

(눈을 감은 채)

그래 알았다... 근데... 내 오늘 니 죽이러 왔다.

일어나서 김 신부를 내려다보는 영신. 그늘진 얼굴은 서늘하다.
영신의 머리 위에 복도 전구가 가늘게 파르르 떨리고.
순간 집 안에서 들리는 비명 소리. 꺅!

73. 영신의 집 다락방. 밤

바닥에 흥건한 피. 영주무당의 흰색 한복이 피로 물들었다.
나머지 무녀들의 치마에도 피가 흘러 묻는다. 그리고 순간 쾅! 하고
방문이 열려버린다. 어찌할 바를 몰라 소리를 지르는 무녀들.
두려운 듯 영신을 바라보는 제천법사.

74. 영신의 집 거실. 밤

안방에 멍하니 앉아 있는 영신의 어머니.

그리고 영신의 방에서 짐을 챙겨 내려오는 무녀들.

옷을 갈아입는 제천법사. 그리고 그 옆에서 수단을 입고 있는 김 신부.

제천법사

김형... 아들이 하혈하는 거 보이... 뱀은 아닌 것 같고...

김 신부

그렇겠지...

제천법사

분명히 중간에 뱀인 척할 꺼래요. 그때 속으면 클라...

김 신부

알았어... 근데 니 딸내미는 괜찮나?

제천법사

에고... 첫날부터 험한 꼴을 당했삐서... 쭛 좀 미안하긴 해요...

김 신부

쟈... 무당 되기 싫어 도망갔다 안 그랬나?

제천법사

지가 어떡하겠어요. 전생에 얼마나 한이 많은지...
안 눌러져서 결국엔 저번 보름에 내림받았지요. 뭐...

김 신부

그래... 팔자대로 살아야지...

그때 계단에서 최 부제가 내려와 김 신부를 부른다.

최 부제

성찬 준비됐습니다.

김 신부

그래 올라갈게.

제천법사

(최 부제를 보고)

워~ 이번엔 골 때리는 범이 왔네... 근데 좀 어리다.

김 신부

씨발 새끼... 나이만 어리지 존나 꼰대야... 수고들 했어.

제천법사

네... 형님 수고해요.

복층 계단을 올라가는 김 신부.

75. 영신의 집 다락방 문 앞. 밤

돼지를 피아노 다리에 묶어놓고 그 위에 성찬 준비를 마무리하는
최 부제. 방에서 짐을 챙겨 나오는 영주무당과 눈이 마주친다.
사복 차림의 영주무당은 울었는지 눈이 부어 있다. 그를 바라보는
영주무당의 시선에 기가 죽은 듯 시선을 피하는 최 부제.
잠시 후 좁은 계단에서 영주무당과 스쳐 올라오는 김 신부.
옷을 갈아입은 김 신부는 그나마 성직자 같아 보인다.
피아노 위에 조촐하게 차려진 성찬.

김 신부

세례명이 뭐야?

최 부제

(집기들을 올리며)
아가토입니다.

김 신부

(어이없이)
훗... 누가 정한 거야?

최 부제

제가 골랐어요. 남들 다 하는 거 싫어서요.

익숙한 솜씨로 성찬을 하는 김 신부와 최 부제.

김 신부

(포도주를 한 잔 마시고)

캬... 새끼들. 좀 좋은 거 사놓으라고 하니까.

자 지금부터 모든 죄를 회개해.

최 부제

네.

김 신부는 최 부제의 머리에 손을 놓고 기도를 해주고 최 부제도
자신의 몸에 성호를 그은 뒤 기도를 한다.

김 신부

성부. 성자. 성령의 이름을 기도합니다.

미카엘 대천사의 임무를 수행하는

아가토 형제의 모든 죄를 사하여...

76. 영신의 집 안방. 밤

멍하니 앉아 있는 영신의 어머니에게 수액주사를 놔주고 있는 박 교수.

박 교수

어머니... 이게 15만원짜리인데 제가 그냥...

77. 영신의 집 다락방 문 앞_ 성찬 2. 밤

간단한 성찬을 마치고 치약을 집어 최 부제에게 건네는 김 신부.

김 신부

처음이니까 좀 발라라.

최 부제

아... 네.

문을 열고 방으로 들어가는 김 신부.
최 부제는 비웃으며 치약을 조금 짜서 코 밑에 살짝 바른다.
들어가다 말고 다시 나오며 말하는 김 신부.

김 신부

잘 속여야 해. 보조사제는 존재하지 않는 거야? 그림자처럼...

최 부제

(답답한 듯)

네~

씩 웃어주는 김 신부. 방으로 들어가는 두 사제. 굳게 닫히는 문.
잠시 후. 쾅! 하고 문을 열고 나오며 토하는 최 부제.

최 부제

우억...

김 신부는 계단 밑에다 소리친다.

김 신부

박 교수. 일 안 해?

박 교수

응. 올라간다.

작은 가방을 들고 계단을 뛰어 올라오는 박 교수. 콰당! 미끄러진다.

박 교수

어이쿠...

김 신부

에효... 다들 정신 좀 차리자. 제발...

박 교수는 절뚝거리며 계단을 올라와 토하는 최 부제의 등판을
손바닥으로 쫙! 때린다.

박 교수

정신 좀 차리자...

방으로 들어가는 박 교수.
구석에서 토하며 헉헉거리는 최 부제.

78. 영신의 집 다락방. 밤

현現
전奠

한바탕 굿판이 휩쓸고 간 어수선한 영신의 방. 조용한 가운데 밖에서
작게 들려오는 로데오 거리의 소음과 규칙적으로 삐삐 소리를 내는
심박동기.
죽은 듯 누워 있는 영신의 얼굴.
김 신부의 옆으로 다가오는 최 부제. 코 밑에는 치약이 듬뿍 발라져 있다.

김 신부
(시계를 풀어 내려놓으며)
전문용어로 말로도르(malodor)라고...
부마자 숨 속에서 나는 고기 썩은 내야.

최 부제
(영신을 보며)
그래서 병원에서 쫓겨난 거군요...

한쪽 구석. 가방에서 의료장비를 꺼내는 박 교수.

김 신부
알지? 병원에서 뛰어내린 거.

최 부제

네. 2월 10일에 자살 시도했었습니다.

마스크를 한 박 교수는 의료장비를 가지고 영신에게 다가온다.

박 교수

기본적인 거 진단 좀 할게요.

김 신부와 최 부제는 뒤로 물러난다. 박 교수가 영신의 이곳저곳을 체크한다. 혈압, 심장박동, 혈액 샘플 체취 등을 마친 뒤 영신의 가슴에 청진기를 대고 귀를 기울이는 박 교수.

최 부제

(김 신부를 흘겨보며)

뭐 때문에 뛰어내렸을까요?

김 신부

왜... 내가 괴롭혀서 그랬을까 봐?

최 부제

...

김 신부

닭대가리야... 들키니까 도망가려고 한 거야.
사자가 재수 없게 암컷에게 들어왔으니...
숙주를 죽여서 수컷에게 도망가려고 한 것 같은데...

박 교수

이상해~ 보통 뇌사면 호흡을 못하는데
자가호흡을 하고 있단 말이지...

김 신부

아주 독한 년이야... 참...

박 교수는 서류와 펜을 김 신부에게 내민다.

박 교수

자. 사인하시고...

서류에 사인하는 김 신부.

박 교수

(사인하는 김 신부에게 작게)
애 아버지가 장기기증 사인했다더라... 그냥 죽으면 놓쳐... 알지...?

대답 없는 김 신부. 구석의 협탁 서랍에서 두꺼운 케이블 타이를
가져온다.

김 신부

(케이블 타이를 건네며)
팔다리 묶어.

최 부제

네.

최 부제가 케이블 타이를 받는 순간.

김 신부

아니다. 내가 할게 그냥... 가까이 가지 마라.

최 부제

(대수롭지 않은 듯)

아니... 괜찮습니다. 제가 하겠습니다.

김 신부

(정색하며)

야... 설치지 마. 넌 매뉴얼대로 테이블 세팅이랑 성소금 작업이나 해.

최 부제

네...

자신의 백팩을 내려놓고 김 신부 쪽 협탁을 서둘러 세팅하는 최 부제.
협탁 위에 지저분하게 널려 있는 의료도구와 기저귀들을 끌어내리고,
구석에 처박혀 있는 신라면 박스에서 성물들을 하나하나 꺼내 올리기
시작한다.
김 신부와 시선을 교환한 후 짐을 챙겨 방을 나가는 박 교수.
영신의 팔을 침대에 케이블 타이로 묶는 김 신부. 영신에게 이런저런
이야기를 한다.

김 신부

그냥 죽지 그랬냐... 나쁜 년아... 여러 사람 고생시키고...
이게 뭐냐... 비쩍 말라 가지고... 쯧...

부드럽게 말은 하지만 영신의 팔을 묶는 김 신부의 손에는 힘이 들어가
있다.

김 신부

모르겠다. 영신아... 정말 하느님은 보고 계시는 건지...
아님 참 나쁜 분이시든지... 니 말대로 말을 너무 아끼시는구나.

영신의 가는 다리를 꽉 묶는 김 신부.
반대편 협탁을 세팅하며 김 신부를 슬쩍 훔쳐보는 최 부제. 캠코더를
몰래 설치한다.
그리고 자연스럽게 준비된 소금을 침대 주변에 둘러 뿌리기 시작한다.

최 부제

둘이 꽤 친하셨나 봐요.

김 신부

...

최 부제

어떤 애였나요?

김 신부

고집 세고... 말 안 듣고... 야 꼼꼼하게 잘 뿌려. 결계가 니 살길이다.

최 부제

...네.

김 신부는 침대 가까이 있는 창문을 열고 하늘을 올려다본다.

김 신부

오늘 월광을 듬뿍 받고... 1년에 한 번 있는 날인데...

세팅을 마친 최 부제. 마지막으로 침대 앞 벽에 성모마리아의 성화를 건다.
그런 최 부제를 바라보는 김 신부.

김 신부

니 자리는 소금으로부터 1미터 이상 떨어지고
서취노트하고 예식서만 바로 준비해놔.

최 부제

네.

최 부제는 가방에서 서취노트와 예식서를 꺼내 소금에서 조금 떨어진
곳에 펼쳐놓는다.
조용한 방 안은 긴장감이 감돈다.

김 신부

자네는 예식서대로 미카엘의 기도를 해. 한글, 영어, 라틴어 순으로.

최 부제

네.

김 신부

중국어도 가능하다고 했지?

최 부제

해방의 기도와 시편 가능합니다.

김 신부

그럼 해방의 기도는 중국어로 해줘.

최 부제

네. 알겠습니다.

창문을 닫는 김 신부. 영신을 바라본다.

김 신부

(조용히)

지금부터 말을 아껴. 그리고 절대 쳐다보지도 마. 절대...
넌 여기 없는 거야.

고개를 끄덕이는 최 부제. 무릎을 꿇고 자신에게 성호를 긋고 기도를 시작한다.

김 신부는 협탁 위에 올려져 있는 성물 중 청동으로 된 거울을 집어
들고, 손가락에 성유를 찍은 다음 영신에게 다가간다. 작게 기도를
속삭이고 과감히 성소금을 넘어가는 김 신부.

김 신부
(속삭이며)
주님. 지켜주시옵소서.

김 신부는 거울로 영신의 얼굴을 비춘 다음, 성유로 십자가를 그으며
언명한다.

김 신부
주님의 이름으로 말하라. 기혼. 아렉세스. 아락투. 유카!

영신을 바라보는 김 신부. 아무 반응 없다.
한쪽 눈을 살짝 떠 김 신부를 슬쩍 보며 계속 기도하는 최 부제.

김 신부
주님의 이름으로 말하라.
(좀 더 강하게)
기혼. 아락세스. 아락투. 유카!

다시 영신을 바라보는 김 신부. 아무런 반응이 없다.
최 부제도 기도를 멈추며 김 신부를 쳐다본다.
이상한 듯 두리번거리는 김 신부.

김 신부

이상하네...

김 신부는 작은 성수병을 들고 최 부제에게로 걸어간다.
일어서는 최 부제에게 성수를 뿌리며 말한다.

김 신부

In nomine Domini protecti sumus!
주님의 이름으로 보호받나이다!

가만히 최 부제를 바라보는 김 신부.
최 부제도 멍하니 김 신부를 바라본다.
김 신부는 천천히 캠코더가 숨겨져 있는 쪽으로 가더니 작동되고 있는
캠코더를 발견한다.

김 신부

이거 뭐냐?

최 부제

...

김 신부는 캠코더를 바닥에 내던져버린다. 부서지는 캠코더.

김 신부

몇 번 있었다. 이런 적... 쥐새끼 같은 새끼들...

최 부제

...

김 신부

잘 들어. 여기서 있는 일 전부 가서 하나도 빠짐없이 말해. 알았어?

최 부제

...

김 신부

(비웃으며)

훗... 뭐... 아무도 안 믿을 테지만...

최 부제

...하...

한숨을 쉬며 고개를 숙인 채 가만히 있는 최 부제.

김 신부

뭐 하냐... 기도 안 하고...

어쩔 수 없이 다시 기도를 시작하는 최 부제.
다시 침대로 걸어가는 김 신부.
순간 작게 들려오는 목소리.

영신

...신부님...

79. 영신의 집 다락방. 밤

위偽

장裝

동작을 멈추는 김 신부.
허걱! 놀란 표정으로 기도를 멈추는 최 부제.
계속 들리는 영신의 낮은 목소리.

영신

저... 이제 괜찮은 것 같아요. 하아... 하아...

김 신부는 작게 기도를 읊조리며 천천히 협탁으로 걸어간다.

김 신부

Miserere, Domine...
주님. 자비를 베푸소서...

영신

하... 이제 살 것 같아요. 정말... 하... 고마워요. 신부님.

김 신부는 천천히 허리를 숙여 협탁 밑에 쌓여 있는 여러 종류의 십자가 중 나무로 된 가장 낡은 십자가를 하나 집어 든다.
겁먹은 최 부제. 주춤거리다 다시 두 눈을 질끈 감고 빠르게 기도를
시작한다.

최 부제

주님. 지옥의 불구덩이 속에서도 우리와 함께하시고...

영신

이거 좀 풀어주시면 안 돼요...

김 신부는 계속 기도를 중얼거리며 천천히 십자가를 들어 올린다.

영신

여기 누구 계신가요? 사람 좀 불러주실래요? 여기요...!

김 신부의 이마에 맺힌 땀이 목을 타고 흘러내린다.
시선을 십자가에 고정시킨 채 영신에게 천천히 가져가는 김 신부.

영신

여기 누구랑 있으세요? 신부님... 혼자 계세요?

침을 삼켜가며 빠르게 기도하는 최 부제.

영신

저... 엄마랑... 의사 선생님 좀 불러주세요. 하아... 하아...
저 괴롭히려고 여기 오신 거예요?

김 신부는 계속 기도를 읊조리며 십자가를 영신의 가슴에 가까이
가져간다.

영신

누가... 누가 좀 있으면... 이... 사람 좀 말려주세요...
이 사람이 절 만졌어요. 아무도... 없나요.

최 부제가 영신의 말을 듣고 살짝 눈을 떠 영신을 보려는 순간,
희멀건 눈을 뜨며 김 신부에게 소리치는 영신.

영신

(크게 속삭이며)
하지 말라니까! 이 오입쟁이야!

순간 깜박거리며 꺼지려고 하는 전등. 녹음되던 녹음기가 탁 꺼진다.
기겁하고 놀란 최 부제. 다시 눈을 질끈 감는다.
전등은 겨우 다시 켜지고 흔들거리는 촛불도 겨우 살아난다.
눈을 감고 아무 일 없었다는 듯 다시 식물인간으로 돌아간 영신.
동작을 멈춘 김 신부는 고개를 들어 최 부제를 바라본다.
실눈을 살짝 뜨다가 김 신부와 마주치는 최 부제. 김 신부는 최 부제를
계속 노려본다.
그제야 최 부제는 고개를 끄덕이며 빠르게 일어나 가방에서 바흐
칸타타 CD를 꺼낸다.
방 한쪽 구석에 있는 CD플레이어. 달려가 서둘러 CD를 넣고 음악을
트는 최 부제.
구석에 있는 낡은 스피커에서 바흐의 칸타타 BWV140이 흘러나온다.

다시 자리로 돌아와 앞에 성호를 긋고 자신에게도 성호를 그으며
기도를 시작하는 최 부제.
김 신부도 천천히 작은 목소리로 기도를 하며 영신의 가슴에 십자가를
조심스레 내려놓는다.
방에 울려 퍼지는 힘찬 칸타타. 거기에 더해지는 최 부제의 기도 소리.

cut to
방문 앞에서 신문을 보던 박 교수. 방에서 음악이 흘러나오자 힐끗
돌아본다.

김 신부는 협탁에 세팅된 아주 고급스러운 보라색 영대를 꺼내
목에 둘러맨다. 그리고 영대의 한쪽 끝자락으로 영신의 한쪽 눈을
조심스럽게 덮은 뒤, 성호를 그으며 천천히 진심 어린 기도를
시작한다.

김 신부
주님. 저희에게 힘을 주소서. 미카엘 천사장이여.
연약한 당신의 양들을 보호해주소서.
당신의 창과 성모님의 방패를 저희에게 주시옵소서...

땀으로 가득한 두 사제의 얼굴. 고요히 잠든 영신의 모습.
작은 방에 성스러운 바흐의 칸타타와 두 사제의 기도 소리로 에너지가
가득 찬다.
창문 밖으로 보이는 빌딩들. 그리고 밤하늘에 커다란 보름달.

80. 칸타타 몽타주. 밤

/ 로데오 거리

바흐의 음악이 흘러나오는 초라한 영신의 집. 너머로 보이는 밝은
로데오 거리 전경.
바쁘게 지나다니는 많은 사람들. 행인들 너머로 김 신부와 최 부제가
들어갔던 좁고 어두운 골목이 보인다.

/ 골목

골목 초입 쓰레기 더미를 뒤지는 고양이. 갑자기 골목 안으로 사뿐사뿐
뛰어 들어간다. 카메라 따라가면 여기저기에서 골목으로 모여드는
여러 마리의 고양이들. 분주하게 움직이기 시작한다. 구석에서
강아지에게 올라타 교미를 하는 고양이 한 마리.

/ 영신의 집 전경

빌딩 숲 아래 허름하게 보이는 영신의 집. 영신의 방의 불이 깜박인다.

/ 영신의 집 다락방

깜박거리는 영신의 방의 전등.
계속 기도 중인 두 사제와 시체처럼 누워 있는 영신. 약간 벌린 입에서
파리 한 마리가 다시 밖으로 나온다. 한 마리, 두 마리, 수십 마리의
파리가 영신의 얼굴을 가득 채운다.
천장 벽의 틈 사이로 이상하게 생긴 바퀴벌레가 한 마리 기어 나온다.
잠시 후 수백 마리의 여러 종류의 집 벌레들이 벽에서 스멀스멀 기어
나오기 시작한다.
김 신부 너머로 보이는 영신의 얼굴. 어느새 파리 떼들로 가득하다.

수백 마리의 벌레들이 천장과 바닥을 가득 채우고,
점점 최 부제를 지나 영신에게로 모여든다.

81. 영신의 집 다락방. 밤

발發
화話

아무것도 모른 채 계속 눈을 감고 기도하는 최 부제.
두 사제의 기도 소리는 절정에 다다르고,
영신 방의 형광등이 깜박거리다 결국 퍽! 하고 깨져버린다.
그 소리에 놀라 움찔하는 최 부제. 하지만 기도를 멈추지 않는다.
어두워진 방 안. 협탁 위 촛불과 창문에서 들어오는 네온사인이 겨우
방을 밝히고 있다.
여기저기에서 모여들던 벌레들은 최 부제를 지나쳐 영신과
김 신부에게 모여든다.
김 신부의 몸을 타고 올라오는 벌레들. 기도하던 김 신부는 천천히
눈을 떠 영신을 바라본다. 땀으로 가득한 김 신부. 파리들로 가득한
영신에게 성호를 그으며 작게 언명한다.

김 신부

Oculos aperii. Vox Dei nos appellat!
눈 뜨라. 주님의 부르는 소리 있도다!

크르르릉~ 작은 영신의 몸에서 큰 사자의 으르렁거리는 소리가 들리기

시작한다.

그러자 영신 얼굴의 파리들이 날아가버린다. 영신에게 모여들던 벌레들도 방향을 바꿔 벽 속으로 빠르게 도망가기 시작한다. 감쪽같이 다시 숨어버리는 벌레들.

파리가 없어진 영신의 어두운 얼굴은 검은 핏줄이 드러나 보인다.

벌벌 떨며 계속 기도를 하는 최 부제.

영신 (사자 소리)

크르르룽... 크르르룽...

점점 강해지는 짐승의 소리. 거칠게 파르르 떨리는 촛불.

김 신부의 뒷목에 털이 바짝 선다.

그때 천장 쪽에서 들리는 수상한 소리들.

Insert

거실과 밖에 있던 쥐들이 여기저기에서 방으로 모여들기 시작한다.

방의 작은 구멍을 통해 들어오는 쥐 떼들. 방 구석구석에서 분주하게 움직인다.

영신 (사자)

크르르룽...

마치 큰 사자를 한 마리 상대하고 있는 것 같은 김 신부.

순간 가려지지 않은 한쪽 눈을 뜨자 보이는 누런 사자의 눈동자.

묶여 있는 영신은 갑자기 김 신부를 향해 크게 움직인다.

영신 (사자)

크하!

크게 포효하는 영신. 김 신부는 기다렸다는 듯 재빠르게 협탁 옆에서 낡은 활을 꺼낸다.

작은 글씨가 빽빽하게 적혀 있는 오래된 활.

누런 두 눈을 뜨고 김 신부에게 으르렁거리는 영신.

영신 (사자)

크르르르릉... 크하!

김 신부는 사자의 눈을 노려보며 화살이 없는 활의 시위를 당기며 근엄 있게 말한다.

김 신부

미물은 물러나라! 나타나라 정결치 못한 검은 영이여!

영신의 눈에 보이는 화면.

cut to

어두운 밤 숲속. 횃불을 든 두 명의 흑인 원주민. 그 사이 활을 겨누고 있는 추장.

겁먹은 영신은 으르렁거리며 다시 몸을 누인다. 활을 노려보며 잠잠해지는 영신.

영신 (사자)

크르르르...

김 신부는 활을 놓고 다시 영대로 영신의 부릅뜬 사자의 두 눈을
다 가려버린다.
다시 기도를 읊조리는 김 신부와 계속 기도하는 최 부제.
눈이 가려진 영신. 검은 입술이 씩 웃으며 누런 이빨을 드러낸다.

영신

Verdammter Bach!
빌어먹을 바흐.

순간 파파팍! 하고 불꽃을 내며 타버리는 CD플레이어.
음악이 꺼진 조용해진 방 안. 두 사제의 나지막한 기도 소리만 들리고.
쥐들은 영신의 목소리가 들리자 갑자기 밖으로 줄지어 도망가기
시작한다.

Insert
줄지어 벽과 방에서 도망 나가는 쥐 떼들.

연기가 나고 있는 CD플레이어. 그 옆에 보이는 바흐 CD.

영신

Ich hatte ihm doch befohlen er solle die Frau seines Bruders
vergewaltigen. Bach, dieser schwanzlose Kastrat.
내가 형수를 강간하라고 했었지. 바흐... 용기 없던 고자 새끼.

기이하게 들리는 영신의 굵은 목소리. 놀라 눈을 뜨는 최 부제. 재빨리 떨리는 손으로 서취노트에 영신의 말을 빠르게 받아 적는다. 영신의 눈을 가린 채 계속 기도하던 김 신부. 영신을 보며 조심스럽게 언명을 한다.

김 신부

거짓말의 아버지이자. 태초의 살인자여...

노트에 영신의 말을 적고 난 뒤, 바로 김 신부의 말을 라틴어로 반복하는 최 부제. 영신 쪽으로 성호를 그으며 반복 언명한다.

최 부제

Pater mendacis. Homicida ab initio.
거짓말의 아버지이자. 태초의 살인자.

뭔가 분노에 겨워 이를 달달달 떠는 영신.

영신

으하... 덜덜덜... 음... 덜덜덜...

다시 눈을 떠 언명하는 김 신부.

김 신부

성부. 성자. 성령의 이름으로 묻는다. 어디서 온 것이냐!

다시 반복 언명하는 최 부제.

최 부제

In nomine Patris, et Filii et Spiritus Sancti, ex te quaero. Unde venis?
성부. 성자. 성령의 이름으로 묻는다. 어디서 온 것이냐!

영신

크르르릉… 음…

Praesentia nostra omnĭbus locis est. Etiam hic et ibi.
우리는 어디든지 있는 것이다. 여기에도 있었고 저기에도 있었다.

Transeundo in duomilia quadrigenti triginta homines viximus.
땅을 여기저기 두루 돌아다녔다. 우리는 2430명에게 옮겨 다녔다.

영신의 말을 듣지 않고 계속 기도하는 김 신부.
재빨리 서취노트에 영신의 말을 받아 적는 최 부제.

영신

하아… 하아…

김 신부

언제부터 이곳에 온 것이냐! 말하라!

최 부제

Ex quo hic venisti? Dica!
언제부터 이곳에 온 것이냐! 말하라!

영신

하아… 하아…

Ni men zhe xie hou zi shu da dao san bai er shi wu wan si
qian liu bai san shi zhi de shi hou, wo dao zhe bian lai le.
Yi dian yong chu dou mei you de hou zi men!
여기에 니들 원숭이들이 3,254,630마리가 되었을 때 내가 건너왔다.
쓸모없는 원숭이들!

다시 영신의 말을 받아 적는 최 부제.

김 신부
언제까지 여기에 있을 것이냐!

최 부제
Ni dao di xiang dai dao shen me shi hou!
언제까지 여기에 있을 것이냐!

영신
ㅎㅎㅎ...
(비웃음)

기도하는 김 신부와 최 부제.
다시 눈을 뜨고 두 눈을 가린 영신을 보며 언명하는 김 신부.

김 신부
(다시)
말하라! 언제까지 여기에 있을 것이냐!

최 부제

Ni dao di xiang dai dao shen me shi hou!
언제까지 여기에 있을 것이냐!

영신

헤헤헤...
(낼름낼름)

김 신부

(더 강하게)
너는 존재를 들켰다. 거기 있어봐야 고통만 있을 뿐이다!

최 부제

Ni yi jing bei fa xian le, dai zai na er zhi hui shou ku!
너는 존재를 들켰다. 거기 있어봐야 고통만 있을 뿐이다!

영신

Shou ku?
고통?
Tongku, binghuan, jihuang, zhanzheng,
heping li wo yi zhi dou gen ni men zai yi qi.
<u>흐흐흐</u>... 질병. 기근. 전쟁. 평화 속에
난 언제나 니들과 함께 있었다.
Schautdoch in die Geschichtsbucher!
역사를 보란 말이다!

김 신부는 재빠르게 협탁에 세팅된 오래된 성경책을 꺼낸다.
영신의 말을 다 받아 적은 뒤 벌벌 떨며 기도하는 최 부제.
김 신부는 영신의 몸을 기울여 등 밑에 성경책을 집어넣는다.

영신

(고통스럽게)

하아... 하아... 으덜덜덜...

김 신부

(영신에게 성호를 그으며)

성부. 성자. 성령의 이름으로 묻는다. 왜 여기에 온 것이냐!

최 부제

In nomine Patris, et Filii et Spiritus Sancti, ex te quaero.

Ad quid venisti huc?!

성부. 성자. 성령의 이름으로 묻는다. 왜 여기에 온 것이냐!

영신

Pater? Filius? ha ha ha... Ista sunt obsoleta vocabula.

Res cogitans. Obsculta.

Videre hominem in vita vera dissimulando vivis!

Aerario non necesse est progredi?

Mordendo et exsurgendo sanguinem inter vos...

Formica Homo Sapiens!

성부? 성자? <u>흐흐흐.</u> 그런 이름은 이제 유행이 지났잖아.

지혜 있는 자여. 들어라.

그냥 밖에 사람들처럼 못 본 척하고 살란 말이야!
경제발전 해야지. 서로 물어뜯고 피를 빨고...
호모사피엔스 개미들아!

김 신부

말하라! 왜 여기에 온 것이냐!

최 부제

In nomine Patris, et Filii et Spiritus Sancti, ex te quaero.

Ad quid venisti huc?!

성부. 성자. 성령의 이름으로 묻는다. 왜 여기에 온 것이냐!

영신

Wir sind gekommen um euch zu zeigen, dass ihr nichts als Affen seid.

Und wir werden es eurem hochsten. Richter beweisen.

Benutze doch deinen. Verstand. Homo sapiens sapiens!

우리는... 니들이 원숭이라는 것을 증명하러 왔다.

그리고 너희 재판관에게 보여줄 것이다.

머리를 굴려라. 호모 사피엔스... 사피엔스...

바로 받아치는 김 신부.

김 신부

(강하게)

니들이 지키고 있는 가장 큰 놈이 누구냐!

최 부제

Quem maiorem protegis?!
니들이 지키고 있는 가장 큰 놈이 누구냐!

영신

~~ㅎㅎㅎ~~...

Ni men zhe xie mao lei jue bu neng ting dao luo xing de sheng
yin ye jue dui bu hui you yi, er, san, si, bai qian wan shi yi.
Wo men shi ling ye shi shu, ji shi ling you shi rou, ye shi li
xing, zhong xin, li lun, ke xue, yu wang, geng shi guang ming!
너희 미물들은 떨어진 별의 목소리를 들을 수 없다.
하나 둘 세 넷 백. 천만 10억 따위는 없다.
우리는 종(種)이자 속(屬)이고 영(靈)이자 힘이며,
이성, 중심, 논리, 과학, 욕망, 빛이다!

김 신부

(끊으며 강하게)
떨어진 별의 군대여. 가장 오래된 놈이 말하여라.

최 부제

Luo xing de jun dui ya, zui lao de jia huo chu tou shuo hua.
떨어진 별의 군대여. 가장 오래된 놈이 말하여라.

영신은 혀를 날름거리고 고개를 흔들며 알 수 없는 말로 계속 중얼거린다.
계속 기도를 하는 김 신부와 최 부제.
두 명의 기도 소리가 점점 더 커지자 갑자기 소리를 지르는 영신.

영신

Auf unshorst du doch gar nicht!

′ 니가 우리 말을 듣지 않잖아!

바로 강하게 받아치는 김 신부.

김 신부

(강하게)

그가 이미 세상을 승리했노라. 왜 거기에 있는 것이냐!

최 부제

Ipse iam triumphavit in mundo. Quidnam illuc es?!

그가 이미 세상을 승리했노라. 왜 거기에 있는 것이냐!

영신

Ich verstecke mich nur. Erwischen lass ich mich nimmer mehr.

그냥... 그냥... 숨어 있는 것이다. 다신 들키지 않을 거야.

Paaren muss ich mich. Paaren!

수컷이 필요해! 수컷이 필요해!

(한국어)

이 씨발 좆같은 고깃덩어리가 우리를 잡고 있어.

더 안전한 곳을 찾을 거야.

(소리 지르며)

이년이 날 잡고 있어!

한국어가 들리자, 순간 김 신부는 언명을 멈추고 최 부제에게 빠르게 걸어간다.

정신없이 영신의 말을 받아 적고 있는 최 부제를 밀치고, 서취노트를
집어 드는 김 신부. 계속 기이한 소리와 함께 발악하는 영신.

영신

(한국어)

기도하며 중간 다리나 세우는 미물들 주제에.
내가 반드시 증명하겠어. 니들이 그냥 원숭이일 뿐이라고!

신경 쓰지 않고 서취노트만 뚫어져라 쳐다보는 김 신부.
겁먹은 채 일어선 최 부제. 영신의 소리에 천천히 돌아보려고 한다.
이때 지시를 내리는 김 신부.

김 신부

(서취노트를 보며)

사령들이 다 나왔어. 하나씩 잡아보자고 뭐가 나오는지...
너는 7번, 11번 가져오고, 오늘 받아 온 거 준비해.

최 부제

...네!

빠르게 성물들이 쌓여 있는 곳으로 가는 최 부제. 붉은색 영대와 축성
받은 요단강물이 들어 있는 생수병을 찾아 김 신부에게 건네준다.
원래 자리로 돌아가며 생수병 뚜껑을 여는 김 신부.
그사이 최 부제는 빠르게 자신의 가방으로 달려가 노란 DHL 박스를
꺼낸다.

82. 영신의 집 다락방. 밤

돌突

파破

성수통에 채워지는 요단강물(성수). 그 안에 성수채를 넣고 붉은 영대를 둘러매는 김 신부. 두려운 듯 김 신부를 노려보는 영신. 중국어로 주기도문을 중얼거린다.

영신

Zai shang tian de tian di sheng fu... rang shang di de ming zi
shen sheng hui huang... shang di de...
하늘에 계신 우리 아버지...
아버지 이름이 거룩히 빛나시며... 아버지의...

김 신부는 붉은 영대로 다시 영신의 눈을 가린다. 영신의 시야를 꽉 채우는 붉은색(독수리 십자가). 그 위에 들려오는 영롱한 종소리. 땡~땡~ 최 부제는 눈을 감고 기도하며 프란치스코의 종을 치며 다가온다.
땡~땡~ 놀라 코를 킁킁거리며 두리번거리는 영신.

cut to
숲속에서 종을 치며 걸어가는 프란치스코의 모습.

영신

(고통스럽게)

쿵쿵... 하~ 으... 으... 프란치스코...

바로 강하게 언명하는 김 신부.

김 신부
어둠은 물러나고 이제 그의 날이 올 것이다!

앞에 성호를 크게 그으며 반복 언명하는 최 부제.

최 부제
Nunc tenebrae evanescent et dies eius perveniet!
어둠은 물러나고 이제 그의 날이 올 것이다!
(땡~ 땡~)

영신
(여러 사람의 목소리로 크게 비명을 지르며)
아~! 아~!

김 신부
들어라. 너희를 다시 부르는 그들의 목소리를!

최 부제
Ting zhe. Ting ta men zai ci jiao ni men de sheng yin!
들어라. 너희를 다시 부르는 그들의 목소리를!

영신

(여러 사람의 목소리로 크게 비명을 지르며)

아~! 아~!

계속 종을 치며 가까이 다가오는 최 부제. 어느새 성소금의 경계와
가까워진다.

김 신부

살아 있는 성인들의 이름으로... 사멸하라! 사령들...

순간 쏴~! 하고 엄청난 양의 피를 토해내는 영신.
허걱! 놀라 뒤로 물러나는 김 신부와 최 부제.
검붉은 피는 마치 호스를 쏘듯 앞쪽 벽과 침대에 쏟아진다.
영신이 뿜어낸 피에서 서로 엉켜 파닥거리는 시커먼 뱀 두 마리.
앞뒤가 붙어 있는 기이한 모습의 뱀이다.
얼어붙는 최 부제.
한참을 피를 내뿜고는 침대에 몸을 다시 누이는 영신. 참아왔던 울음을
터트린다.

영신

어어엉~~

다시 원상태로 돌아온 영신. 고통을 이겨낸 듯 어린아이처럼 눈물을
계속 흘린다.

영신

흐어엉~~

김 신부

...

영신

흐흐흑...

최 부제는 고개를 숙인 채 눈을 뜨고 영신의 울음소리를 듣는다.
무표정으로 성수채를 다시 집어 드는 김 신부.

영신

흐흐흑... 신부님... 흐흑...

김 신부

...쌍년이 연기하고 지랄이야...

무표정으로 멀쩡해진 영신에게 성수를 뿌리는 김 신부.
기침을 하며 고통스러워하는 영신.

김 신부

그가 우리에게 뱀을 밟을 권리를 주셨다!

영신

콜록콜록... 콜록콜록...

최 부제에게 들리는 영신의 고통스러운 소리.

최 부제는 영신이 토해놓은 뱀들과 피를 따라 영신의 얼굴 쪽으로
고개를 돌린다.

그에게 계속 들리는 고통스러운 영신의 신음 소리. 살짝 보이는 영신의
얼굴. 기이하게 붉은 얼굴로 기침을 하는 영신. 입에서 불똥들이 뚝뚝
떨어진다. 그 모습에 기겁하여 시선을 떼지 못하는 최 부제.

김 신부

(다시)

그가 우리에게 뱀을 밟을 권리를 주셨다!

최 부제

(버벅거리며)

I...ipse d...edit nobis...

그...가... 우...리...

순간 돌변하는 영신.

영신

(두리번거리며)

뭐야... 뭔가 큰 놈이 왔어... 쿵쿵... 하아...

김 신부

말하라 누가 대장이냐!

영신

누구야... 누가 있는 거야... 쿵쿵...

(여러 목소리가 뒤엉켜서 서로 싸우듯)

Ego rex sum. Ego rex sum. Ego rex sum!

Ich bin der Konig. Der Konig bin ich. Der Konig!

Wo shi wang. Wo shi wang. Wo shi wang!

내가 왕이다. 내가 왕이다. 내가 왕이다!

영신에게 시선이 고정되어 움직이지 못하는 최 부제.
고통스러운 듯 몸을 파닥거리며 뿌려지는 성수를 혀로 받아먹는 영신.
멍하니 영신의 붉은 얼굴을 보고 있는 최 부제. 후드득 그의 바지에서
흘러내리는 오줌.

김 신부

보지 말라니까! ...정신 차려 새끼야!

그때 영신에게서 들리는 아기 울음소리.

영신

응애~ 응애~

놀라 멈추는 김 신부.

김 신부

...

영신

다음 달 니 조카가 태어날 때부터 하아... 하아...
1460일 뒤에 니가 감옥에서 피를 토하고 죽을 때까지... 하아... 하아...
내가 너희들의 땀구멍 속까지 붙어 있을 것이다... 히히힉

혀를 날름거리며 김 신부를 보고 웃는 영신.
김 신부는 성수채를 버리고 붉은 묵주로 영신의 이마를 누른다.

김 신부

넌 진리 쪽에 서본 적이 없는 자이니...
이제 모습을 드러내라. 어둠의 아들아...

영신

좇까. 좇까... 내 니 동생의 자궁을 들어내어버릴 것이고.
니 태어나는 피붙이의 눈알을 하나 더 만들어버리겠어...

얼어붙은 채 가만히 있는 최 부제.

83. 영신의 집 다락방. 밤

충衝

돌突

영신의 이마를 누르며 강하게 언명하는 김 신부.

176

김 신부

Millenarie belua. Manifesta formam tuam. Quis est maior vestri?!
만년의 짐승. 이제 모습을 보여라. 가장 큰 놈이 누구냐!

씩 웃고 있던 영신의 입. 순간 묶여 있던 오른손의 케이블 타이를 팍!
끊어버리고 김 신부의 목을 움켜잡는다.
영신은 엄청난 힘으로 김 신부의 목을 잡고 조금씩 들어 올린다.
김 신부의 목에서는 피가 흐르고 고통스러워하는 김 신부.

김 신부

으으윽...

몸을 일으킨 영신은 김 신부를 방구석으로 내동댕이쳐버린다.
날아가 처박히는 김 신부.

김 신부

억...

순간 놀라 정신을 차리는 최 부제. 김 신부에게 다가가며 결국
성소금을 넘어간다.
그때 영신은 최 부제를 알아채고 정확하게 노려본다.

영신

(기이하게 웃으며)
흠... 새로 왔어? Mas! Mas! 헤헤...

다시 홀린 듯 영신을 쳐다보는 최 부제.

최 부제

허...

영신

날 봐... 내가 보고 싶었잖아... 궁금했잖아!
(최 부제의 목소리로 흉내를 내며)
궁금은 하네요. 히히힉...

구석에서 신음하며 정신을 차리려는 김 신부.

영신

Reformida. Reformida.
두려워하라. 두려워하라.
(한국어)
겁 없는 족속 같으니. 하아... 하아...

최 부제

허허헉...

영신

(최 부제의 목소리로)
박 수사님은 왜 그만두셨습니까? ...헤헤...

다시 일어난 김 신부. 최 부제 쪽으로 걸어가 뺨을 때린다.

김 신부

(침착하게)

아무것도 듣지 말고, 아무것도 믿지 마.

최 부제

(정신을 차린 듯)

...네...

김 신부는 바닥에 있는 예식서를 집어 들고, 다시 종을 치기 시작하는 최 부제.

구마경을 읽으며 조금씩 영신에게 다가가는 김 신부.

그리고 그의 뒤에서 종을 다시 치며 김 신부를 도와주는 최 부제.

김 신부

(성호를 그으며)

성 미카엘 대천사와 세라핌 천사들의 전구함으로...

같이

상처 속에 저희를 숨기시고 사악한 악에서 지켜주소서!

(땡~ 땡~)

영신

(최 부제를 계속 응시하며)

헤헤... 헤헤...

김 신부

(성호를 그으며)

성 미카엘 대천사와 케루빔 천사들의 전구함으로...

같이

저희 영혼을 원수의 유혹으로부터 보호하소서!

(땡~ 땡~)

영신

(최 부제를 계속 응시하며)

헤헤... 헤헤...

김 신부의 어깨 너머 보이는 영신의 붉은 얼굴.
정확하게 자신을 바라보는 영신에게 시선을 떼지 못하고 입만
움직이는 최 부제.

김 신부

(성호를 그으며)

성 미카엘 대천사와 좌품천사들의 전구함으로...

같이

모든 악과 악으로부터 오는 협박에서 저희를 구하소서!

김 신부는 계속 구마경을 외치고,
영신은 발광하듯 중얼거리며 최 부제를 보고 웃는다.
그때 최 부제의 팔에 같은 검은 반점들이 돋아나기 시작한다.

최 부제

허허헉...!

종을 놓치며 바닥에 쓰러져 자신의 몸을 더듬으며 허둥대는 최 부제.
퍼져가는 검은 반점들. 넘어져 있는 최 부제의 얼굴 옆으로 뭔가가
나타난다.
어둠 속에서 드러나는 검은 반점이 가득한 자신의 얼굴. 비열하게
속삭인다.

반점 최 부제

(속삭이며)

니 살을 봐... 그 썩어가는 매독 같은 니 팔을...

최 부제

...허...헉...

반점 최 부제

돌아가... 내가 모른 척해줄게.

냉큼 도망가. 니가 잘하는 거잖아. 히히힉... 가서 말해.

여기에는 아무것도 없다고. 저기 저 미친놈 한 명 있다고.

그럼 내가 다른 놈들처럼 너도 모른 척해줄게...

홀로 계속 구마경을 외치고 있는 김 신부의 뒷모습.
이미 최 부제에게는 아무것도 들리지 않는다.

김 신부

더러운 군대의 보호를 받는 짐승아. 너희는 어둠 속에 머물지니...

영신

(자신의 몸에 반대 성호를 계속 그으며 짐승 울음소리)

우-우-우~

철컥거리며 끊어질 듯한 영신의 왼쪽 손목의 케이블 타이. 덜컥덜컥!
자신의 팔을 만지며 넘어진 채 슬금슬금 뒤로 물러나는 최 부제.

영신

(커다란 개의 소리)

으르르릉... 컹! 컹! 컹!

최 부제

허허헉...

영신은 미친개처럼 크르렁거리며 피 묻은 입으로 최 부제를 노려본다.

영신

컹!컹!컹!

김 신부

(들리지 않는다)

정신 차려! 최 부제!

그때 영신의 어두운 침대 밑에 보이는 무엇.

입가에 피가 가득한 개다. 최 부제를 노려보며 붉은 이빨을 드러내고 다가온다.

최 부제

흐허헉...

순간 침대 밑에서 나와 최 부제에게 달려드는 커다란 미친개.

꺼져버리는 최 부제 쪽 촛불.

기겁하고 벌떡 일어나 방에서 도망 나가는 최 부제.

그리고 도망가는 최 부제를 보며 웃고 있는 영신.

84. 영신의 집 거실. 밤

쾅! 문이 열리고 뛰어나오는 최 부제.

방을 지키는 박 교수를 지나 계단을 뛰어 내려간다.

85. 영신의 집 복도. 밤

영신의 집 현관문이 열리고 복도를 뛰어나가는 최 부제.

86. 영신의 집 골목. 밤

건물에서 뛰어나오는 최 부제. 밝은 로데오 거리 쪽으로 뛰어나간다.
뒤를 돌아보다 다리가 풀려 넘어진다.

최 부제
...흐흐흑...

넘어진 채 울먹이며 뒤를 돌아본다. 어두운 골목 끝.
그 속에서 다시 보이는 커다란 개. 크르르... 최 부제를 노려보며 서 있다.
환청처럼 들려오는 영신의 목소리.

영신 (V.O)
돌아가서 말해. 여기에는 아무것도 없다고.
그럼 내가 그냥 지나갈게. 흐흐흐... 니가 잘하는 거잖아.

겁에 질린 최 부제. 고개를 돌려 로데오 쪽을 바라본다.
여전히 밝은 로데오 거리와 분주한 사람들의 모습.
다시 일어서는 최 부제. 골목에서 벗어나 로데오 거리의 사람들 속으로
섞여 들어간다.

87. 로데오 거리. 밤

무심히 스쳐 지나가는 많은 사람들. 그 사이를 걸어가는 최 부제.
반점이 없어져 붉은 흔적만 남은 그의 팔을 본다. 그리고 머릿속에

스쳐 가는 장면들.

cut to 박 수사의 팔에 남아 있는 반점의 흔적.

cut to

박 수사

아무것도 없어. 미친 신부 하나 있지.

cut to

학장신부

가서 뭐가 있는지 보고해. 별거 있겠어?

cut to

수도원장

니가 몇 번째인 줄 알아?

cut to

영신

그냥 도망가. 아무것도 없다고 말해. 니가 잘하는 거잖아. 히히힉...

cut to

빠르게 움직이는 영신의 왼쪽 손목을 묶은 케이블 타이. 끊어지는
영신의 오른쪽 손목.

cut to

박 수사 집의 개. 팽팽하게 당겨지는 쇠줄. 컹! 컹! 짖는 개의 입.

팽팽하게 당겨지다가 팍! 끊어지는 미친개의 목줄.

cut to

피를 묻힌 채 으르렁거리는 개의 입.

cut to

영신 (사자)

크하!

로데오 거리의 사람들 속에 섞여 보이지 않는 최 부제.
그리고 높게 떠 있는 보름달.
천천히 구름이 가린다. 화면에 들리는 전화통화 소리.

〈*F.O*〉

학장신부 (V.O)

여보세요.

최 부제 (V.O)

최부젭니다... 하아... 하아... 신부님... 아무것도 없어요...
그냥... 그냥... 여기 미친 사람 하나 있어요.

88. 영신의 집 다락방. 밤

화면이 다시 밝아지고 열려 있는 영신의 방문이 보인다. 영신의 아버지가 다급히 방 안으로 뛰어 들어간다. 피투성이가 된 영신의 침대. 영신은 원래대로 돌아와 편안한 표정으로 누워 있다. 망연자실하고 멍하게 자기 딸을 보고 있는 영신의 어머니. 바닥에 주저앉는다. 그 뒤로 영신의 아버지가 나타난다.

아버지
이런 개새끼...

아무렇지도 않은 듯 냉정한 표정으로 서 있는 김 신부. 그에게 달려드는 영신의 아버지. 멱살을 잡고 소리친다.

아버지
무슨 짓을 한 거야! 새끼야! 무슨 짓을 한 거냐고!

입술에 흐르는 피를 닦으며 아무 말 하지 않는 김 신부. 표정이 차갑다. 영신의 팔을 풀어주고 다시 의료장비들을 연결하는 박 교수. 김 신부의 눈을 피한다.
계속 소리치는 영신의 아버지. 멱살을 잡힌 채 영신을 바라보는 김 신부.

flash back
병실에서 김 신부에게 말하는 영신.

영신
제가 꼭 잡고 있을게요. 신부님. 그럼 저 괜찮아지는 거죠?

89. 로데오 거리 입구. 밤

강降

신神

로데오 거리 입구로 다시 돌아와 밝은 곳에 서 있는 최 부제.
그의 앞을 지나치는 많은 사람들.
최 부제는 처음에 앞에 보이는 어두운 골목을 바라본다. 잠시 후
그곳으로 들어가는 두 아이. 어린 최 부제가 여동생의 손을 잡고
들어가고 있다.

flash back
탱화가 희미하게 남아 있는 폐가. 무당집처럼 보인다.

최 부제 여동생

무서워... 오빠...

어린 최 부제

오빠가 있잖아. 겁내지 말라니까.

겁이 나서 고개를 흔드는 여동생. 앞에 목줄을 철컥거리며
으르렁거리는 폐가의 미친개.
컹! 컹! 미친 듯이 짖어댄다. 그 뒤로 보이는 대여섯 마리의 갓 태어난
새끼들. 다가가는 어린 최 부제와 여동생. 순간 팍! 끊어지는 목줄.
미친개는 최 부제의 여동생에게 달려든다.

여동생

으아... 오빠... 아아아...!

어린 최 부제

허허헉!

겁에 질려 넘어진 채 뒤로 기어가는 어린 최 부제. 동생의 목을 물고
늘어지는 미친개.
최 부제의 동생은 개한테 물린 채 발버둥을 치며 최 부제의 발을
잡는다. 겁에 질린 최 부제, 동생의 손을 뿌리치자 벗겨지는 최 부제의
신발. 동생을 물고 늘어지는 개는 입에 피를 묻힌 채 최 부제에게
으르렁거린다.

어린 최 부제

으아악...

일어나 도망치는 어린 최 부제. 폐가에서 뛰어나오다가 돌에 걸려
넘어지는 어린 최 부제. 다시 일어나 주저하다가 바닥에 있는 주먹만
한 돌을 집어 든다. 하지만 겁에 질려 벌벌 떨며 어쩔 줄 모르는 어린
최 부제. 들고 있던 돌을 떨어뜨린다.
맨발의 어린 최 부제는 결국 울음을 터트린다.

어린 최 부제

아아앙~~

폐가의 담 너머 보이는 앰뷸런스. 모여 있는 동네 사람들.

아버지의 품에 안겨 있는 어린 최 부제. 바닥에 떨어져 있는 자신의 신발.
여전히 무섭게 그를 노려보고 있는 붉은 얼굴의 탱화 속 장군.

다시 로데오 거리의 최 부제. 아래를 내려다보니 다시 맨발이다.

최 부제
흐흐흑...

하늘에 여전히 떠 있는 커다란 보름달을 올려다보는 최 부제.

최 부제
(심호흡)
하...

90. 영신의 집 골목. 밤

영신의 집이 있는 골목. 계단 앞에서 초조하게 담배를 피우며 서 있는
김 신부.
누군가의 그림자가 다가온다. 어느새 앞에 서 있는 최 부제.

김 신부
...더 멀리 가지 그랬냐...

최 부제
(가볍게)

신발을 두고 와서요...

김 신부

후훗...

(웃음)

최 부제

다시 올 거라 알고 계셨나 봐요.

김 신부

다 도망가도... 돌아올 놈은 정해져 있어.

최 부제

...저는 빚이 있습니다. 그때는... 못 돌아갔습니다.
동생을 물고 있는 개가 너무 무서웠어요. 너무 컸어요.

김 신부

...그 개가 왜 니 동생을 물었는지 알아?

최 부제

(김 신부를 보며)

...

김 신부

니 동생이 더 작아서 그런 거야. 짐승은 아주 논리적이지.
절대 자기보다 큰 놈들에게 덤비지 않아.

그리고 언제나 악도 우리에게 말하지...
너희도 짐승과 다를 바 없다고...

최 부제

...

김 신부

(작게 웃으며)
근데... 신은 인간을 그렇게 만들지 않았어.

최 부제

(김신부를 보며)

...

김 신부

아이고... 예전에 어느 노신부가 똑같이 이 말을 했는데... 아가토...

최 부제

네. 여기 있습니다.

최 부제에게 정 신부의 붉은 묵주를 건네주는 김 신부.

김 신부

이제 넌 선을 넘었다.

최 부제

알고 있습니다.

김 신부

평생 악몽에 시달리며 술 없이는 잠도 못 잘 텐데...

최 부제

네...

김 신부

아무런 보상도 없고 아무도 몰라줄 텐데...

최 부제

사람의 아들아.

그들을 두려워하지 말고, 그들이 하는 말도 두려워하지 마라.

최 부제를 보고 작게 웃는 김 신부.
담배를 털어 끄고 계단을 올라가며 같이 말한다.

같이

비록 가시가 너를 둘러싸고,
네가 전갈 떼 가운데에서 산다 하더라도,
그들이 하는 말을 두려워하지 말고,
그들의 얼굴을 보고 떨지도 마라.

어두운 계단을 올라가는 두 명.

91. 영신의 집 거실. 밤

안방 옆에 주저앉아 있는 영신의 어머니. 그녀를 설득하고 있는 박 교수.

박 교수

그러니까. 아무런 문제가 없어요. 지금 맥박도 다 정상이고...

안방에서는 영신의 아버지가 경찰에 전화를 하고 있다.

아버지

사람이 죽을 뻔했다니까요... 네 알아요. 전에도 전화드렸었는데...

현관문이 열리고 김 신부가 들어온다.

아버지

...지금 돌아왔습니다. 아니 진짜... 좀 믿어주세요... 그게...

박 교수는 일어나서 김 신부를 말린다.

박 교수

김 신부. 응? 이제 다 됐잖아. 이제 그만 돌아가자.
영신이 많이 좋아졌더라. 조금만 더 있으면...

김 신부는 아무 말 없이 박 교수를 지나 계단으로 걸어간다.
그때 영신의 어머니가 김 신부에게 빠르게 걸어간다.
마구잡이로 김 신부를 가격하는 영신의 어머니.

어머니

말 좀 해봐... 응? 다 된다면서! 도대체 언제까지 이럴 거야...!

박 교수는 영신의 어머니를 말린다.

어머니

죽여! 그냥 죽여...! 나쁜 놈의 새끼들. 아비처럼 좋아하던 애를...

가만히 있던 김 신부. 침착하게 영신의 어머니에게 말한다.

김 신부

어머니... 영신이 오늘 살아요. 조금만 기다리세요.

흐느끼며 주저앉는 어머니.
다시 계단을 올라가는 김 신부.
그리고 그를 따라 올라가는 최 부제. 달려와 김 신부를 잡는 박 교수.

박 교수

야! 김범신...!

김 신부

지금 죽지 못하고 버티면서 우리를 도와주고 있는 게 누군지 알아?

박 교수

...

김 신부

우리만 싸우고 있는 게 아니야. 비켜.

박 교수를 지나 계단을 올라가는 두 사제.

92. 영신의 집 다락방 문 앞. 밤

다시 방문 앞에 선 김 신부와 최 부제. 김 신부는 뒤에 서 있는
최 부제를 바라본다.

김 신부

시간이 없다. 사령소환이랑 축출로 바로 가자. 몰약하고 유향 있지.

최 부제

네. 안에 있습니다.

김 신부는 방문 앞에 묶어놓은 돼지의 줄을 풀어 손목에 감아 잡는다.

김 신부

사령들이 몇이나 나왔지?

최 부제

언어로 네 마리 전부 다 나왔습니다.

김 신부

거의 다 된 거야. 그리고 이제 너도 조심스럽게 선을 넘어와.

최 부제

네.

같이

(성호를 그으며)

주님... 연약한 저희를 보호하소서...

짧은 기도와 함께 방으로 들어가는 두 사제.

93. 영신의 집 다락방. 밤

소召

환還

·

축逐

출出

대충 정리된 어두운 방. 다시 돌아가는 심박동기. 식물인간으로 다시
돌아간 영신의 모습. 영신에게 천천히 걸어가는 김 신부. 돼지를 침대
프레임에 묶어놓고 영신의 팔을 영대로 다시 묶기 시작한다.
자신의 협탁에 놓인 초에 다시 불을 켜는 최 부제. 그리고 오래된 청동
향로에 불을 붙인다. 바닥에 예식서를 펼쳐놓고 몰약과 유향을 적정

배율로 불 위에 뿌린다.

검게 피어오르는 연기. 영신에게 검은 연기가 천천히 흘러간다. 가만히 누워 있는 영신.

그때 들려오는 최 부제의 소프라노 노랫소리.

그레고리안 성가 〈Victimae Paschali〉.

뜻밖에 최 부제의 노래가 들리자 최 부제를 쳐다보는 김 신부.

다소 떨리는 목소리로 노래를 부르며 천천히 다가오는 최 부제.

그를 보던 김 신부는 작은 면도칼로 돼지의 피부를 살짝 벤 다음 피를 손가락에 묻힌다. 그리고 영신의 이마에 돼지의 피로 십자가를 그린다.

김 신부

(영신에게 성호를 그으며)

Ecce crucem domini!

주님의 십자가를 보라!

들려오는 영롱한 최 부제의 목소리. 저음으로 같이 노래를 부르기 시작하는 김 신부.

두 명의 노랫소리로 가득한 방 안. 최 부제는 바닥에 떨어져 있는 종을 주워서 다시 치기 시작한다. 땡~! 땡~!

다시 들리는 종소리와 검은 연기, 그리고 두 사제의 숭고한 목소리가 영신을 압박한다.

과감히 성소금을 넘어 영신에게 다가가는 최 부제. 연기에 가려져 잘 보이지 않는 영신.

순간 갑자기 몸을 크게 움직이며 최 부제를 위협하는 영신.

영신 (사자)

크하!

크게 움직이는 영신의 몸과 침대.
동요하지 않고 계속 노래를 부르는 최 부제. 점점 고조된다.
김 신부에게 다시 들리는 아기 울음소리. 동요하지 않는 김 신부. 계속
노래하며 옆에 세워져 있는 갈고리 봉을 조립한다. 두꺼운 낚싯대처럼
생긴 둥글고 낡은 나무 막대. 세 개를 돌려 끼워 길게 만들자 끝이
둥글게 초승달처럼 생긴 녹슨 쇠로 된 창.

영신 (사자)

크하!

검은 연기 속에 보이는 누런 사자의 눈.
김 신부는 무서운 눈으로 갈고리 봉을 영신의 목에 내리꽂는다. 영신의
목을 넉넉하게 감싼 갈고리. 최 부제의 노래는 점점 더 커지고 영신의
몸은 파닥거린다. 영신을 바라보는 김 신부. 검은 연기 속 영신의
분노가 가득한 누런 눈.

김 신부

가장 큰 놈이 말하라. 너희는 무엇이냐!

강한 김 신부의 목소리. 계속 노래하는 최 부제.
침대에서 들려오는 정체 모를 이상한 소리들.

영신

(주문)

Nach dreihundertzweiundvierzig Tagen wird eine Brucke einsturzen.

Achtundsiebzig Tote.

Am siebentausendachthundertunddritten Tag

sturzen funf Gebaude ein.

Funftausendsechshundertachzig Tote.

Nach Sechstausendsechshundertzweiundachtzig Tagen

erschafft ihr euch selbst den Menschen.

342일 뒤 무너지는 다리. 78명 사망.

7803일 부서지는 빌딩 5개. 5680명 사망.

6682일 뒤 니들이 니 스스로 인간을 만들고...

알아들을 수 없는 주문처럼 들리는 영신의 목소리.

김 신부의 얼굴이 일그러지며, 귀에서 피가 흘러나오기 시작한다.

다시 강하게 언명하는 김 신부.

김 신부

성부, 성자, 성령의 이름을 명한다. 왜 여기에 온 것이냐!

최 부제

In nomine Patris, et Filii et Spiritus Sancti, ex te quaero.

Ad quid venisti huc?!

성부. 성자. 성령의 이름으로 묻는다. 왜 여기에 온 것이냐!

영신

Odivi vos.

너희들이 미웠다.

(주문)

In die quadraginta milia ducenti septuaginta quinque, potulenta
aqua deerit, In die octoginta quinque milia nongenti triginta octo,
niger folliculus rumpet et septices centenia ducenti octoginta milia
quadrigenti quinque homines morientur. In die nonaginta tres milia
viginti quinque, ozonum evanescet et dimidia pars exuret.

40275일 마실 물이 없고 85938일 검은 풍선이 터져
7280402명이 죽고.

오존층 소멸 93025일 반은 타 죽을 것이고...

Lucem mundi extinguere veni.

세상에 빛을 끄려고 왔다.

김 신부의 귀에서 계속 피가 흐른다.
고통을 견디며 다시 강하게 언명하는 김 신부.

김 신부

우리 인간은 인간을 긍정한다. 이제 너희 곳으로 물러가라.
지금 말하는 니 이름이 무엇이냐!

Dica nomen tuum...

말하라. 니 이름을...

김 신부의 어깨 너머로 보이는 갈고리 봉에 눌린 새까만 악마의 모습.
80센티미터 길이에 인간의 얼굴과 사자의 몸. 목과 얼굴을 감싼 검은

사자 털. 분노에 가득한 충혈된 눈이 검은 연기 속에 보인다. 그의 눈에
보이는 화면.

cut to
연기 속에서 갈고리 봉으로 그를 누르고 있는 두 명의 고대 수도승의
모습.

김 신부

Dica nomen tuum quo tu vocaris?!
말하라. 니가 불리우는 이름이 무엇이냐!

악마

Ecifircas...

최 부제 노래를 멈춘다.
순간 감도는 정적. 무엇인가 주저하는 김 신부. 악마를 바라본다.
김 신부의 머릿속에 스쳐 지나가는 영신의 해맑은 모습. 그리고
고통받는 영신의 얼굴.

영신

제가 잡고 있을게요...

최 부제 주저하는 김 신부를 바라본다.
잠시 후 눈을 감고 침착하게 언명하는 김 신부.

성부. 성자. 성령의 이름으로 명한다. 거기서 나와라! 에키피르카스.

94. 영신의 집 다락방. 밤

순간 꽥! 하고 울부짖는 돼지. 그리고 삐~ 하고 멈추어버리는
심박동기. 죽어버리는 영신.
말없이 영신을 바라보는 김 신부. 얼굴이 일그러지며 무너진다.

김 신부

흐흐흑... 영신아... 영신아...

김 신부는 떨리는 손으로 영신의 손을 풀어준다.

김 신부

흐흐... 그래... 다 끝났다... 다 끝났어... 응? 흐흐흑...

놀라는 최 부제는 김 신부를 바라본다.

최 부제

신부님...

오열하며 영신을 쓰다듬는 김 신부.

김 신부

영신아... 미안하다. 잘 버텼다...

응. 그래그래. 이제 끝났어. 수고했다...

우리... 영신이... 니가 해냈다. 응? 니가 다 했어... 흑...

하지만 침착하게 발광하는 돼지에게 달려가는 최 부제.

검은색으로 변한 돼지. 붉은색 눈동자를 희번덕거리며 발광한다.

최 부제는 침대 시트를 찢어 돼지의 두 눈을 가려 묶고 케이블 타이로

돼지의 팔, 다리를 묶기 시작한다.

심박동기 리모컨을 들고 뛰어 들어오는 박 교수. 오열하는 김 신부를

바라본다. 뭐라 소리치는 박 교수. 하지만 귀를 다친 김 신부는 더이상

들을 수가 없다.

김 신부

(떨리는 손으로 이불을 덮어주며)

이제... 응? 그래 이제... 천국에서 마음껏... <u>흐흐흐흑</u>...

아이처럼 우는 김 신부. 완전히 다른 사람처럼 보인다. 영신의 얼굴에

볼을 부비는 김 신부.

편안해 보이는 영신의 얼굴. 작은 눈물이 흘러내린다.

서둘러 발광하는 돼지의 팔, 다리를 묶은 최 부제는 돼지를 안고

박 교수와 눈을 마주친다. 고개를 끄덕이는 박 교수.

최 부제는 방으로 뛰어 들어오는 영신의 가족을 지나쳐 방을 나간다.

95. 영신의 집 거실. 밤

돼지를 안고 계단을 달려 내려오는 최 부제. 그 위에 들리는 김 신부의
목소리.

김 신부 (V.O)
그때부터가 가장 중요한 단계야. 한 시간이 넘어가면 위험해.
15미터가 넘는 강에다가 돼지를 버려야 된다.
그리고 가는 길이 가장 위험하다. 주님이 항상 함께하기를...

거실을 가로질러 뛰어가는 최 부제. 현관문을 열려고 하는 순간 먼저
열리는 문.
놀란 최 부제 앞을 보니 문밖에 서 있는 두 명의 경찰. 피가 묻은
뭔가를 안고 있는 최 부제를 쳐다본다. 무전기에서 들리는 소리.

무전기
휴천동 35번지. 천주교 신부 폭행 신고 접수. 45호?

후임경찰이 무전기에 응답을 한다.

후임경찰
(무전기에 말한다)
45호 접수. 현장 도착.

선임경찰
(최 부제에게)

여기... 신고받고 왔습니다.
죄송하지만 지금 여기 계셔야 할 것 같습니다.

어찌할 바를 모르는 최 부제. 집 안으로 들어오며 주변을 살피는 경찰들.
계단 위에서 들리는 소란스러운 목소리.

선임경찰
(후임에게)
현석아. 여기 이 사람 잡고 있어.

후임경찰
네...

선임경찰은 계단 위로 뛰어가고. 계속 발악하는 돼지를 이상하게
노려보는 후임경찰.
돼지를 안고 있는 최 부제의 팔에는 검은 반점이 생기기 시작한다.

후임경찰
죄송하지만... 그거 좀... 내려놓으세요.

최 부제
저 지금 가야 됩니다.

최 부제가 움직이려 하자 후임경찰은 최 부제를 막아선다.

후임경찰

안 된다니까요! 저희와 좀 같이 가셔야 할 것 같습니다.

일단 그거 내려놓으세요.

최 부제

안 돼요. 저 가야 합니다.

후임경찰

이 사람... 가만히 있어요!

그때 계단 위에서 들리는 선임경찰의 다급한 목소리.

선임경찰 (V.O)

야! 살인사건이야! 지원 요청해! 구급차도! 빨리!

후임경찰

네!

(옆에 찬 권총에 손을 올리고)

뒤로 물러나세요!

뒤로 물러나는 최 부제. 문을 닫고 무전을 하는 후임경찰.

후임경찰

(최 부제를 노려보며)

본부 응답 여부 확인 요청. 여기는 45호.

무전기

여기는 본부. 응답 확인.

후임경찰

휴천동 35번지 3층 11호. 살인사건 발생. 용의자 2명 체포.
지원 요청. 구급차 지원 요청.

무전기

확인!

돼지를 안고 안절부절못하는 최 부제.
후임경찰은 떨리는 손으로 총을 꺼내 든다.

후임경찰

(조심스럽게)
자... 일단... 그거 내려놓으시고요.

최 부제

안 됩니다.

후임경찰

(계단 위에 소리친다)
박 경사님! 여기 어떡해요! 박 경사님!

대답이 없는 계단 위.

후임경찰

아이... 씨발... 진짜...

(최 부제에게)

일단 제가 차로 연행할게요. 네?

수갑 안 채울 테니까... 얌전히 따라오세요. 네?

최 부제

...

후임경찰

(계단 위에 소리친다)

박 경사님. 일단 이 사람 차로 연행하겠습니다!

지원 금방 올 겁니다!

후임은 조심스럽게 문을 연다. 계속 발악하며 꽥! 꽥! 거리는 돼지.

후임경찰

나오세요. 천천히...

후임경찰은 최 부제의 왼팔을 꽉 잡는다.

96. 영신의 집 복도. 밤

집에서 나오는 후임경찰과 최 부제. 후임의 무전기에서 계속 들리는
무전 소리.

복도에 켜져 있는 낡고 희미한 전구들. 최 부제가 안고 있는 검은
돼지는 미친 듯이 울어댄다.
그때 깜박거리는 복도 전구. 구석구석에서 들리는 이상한 소리들.
최 부제를 잡고 걸어가는 후임경찰. 돼지를 더 꽉 끌어안는 최 부제.
순간 전구들이 팍! 꺼진다. 어두워진 복도.

후임경찰

어... 뭐야...

후임경찰은 서둘러 옆에 차고 있는 플래시를 꺼낸 든다. 점점 커지는
수상한 소리들.
후임경찰이 플래시를 켜서 앞을 비추는 순간 복도를 꽉 메운 수백
마리의 시커먼 쥐 떼들.

후임경찰

으아아아...!

놀라서 뒤로 물러나는 후임경찰과 최 부제.

후임경찰

이거 뭐야... 이거... 허허헉...

기겁하고 계속 뒤로 물러나는 후임경찰.
마치 쥐 떼들은 그들이 가는 길을 막는 듯 점점 더 모여든다.
어둠 속의 최 부제. 앞에 쥐 떼들을 바라본다. 계속 울어대는 돼지. 꽥! 꽥!

후임경찰

뒤로 물러나! 뒤로...

순간 최 부제는 소리를 지르며 앞으로 달려 나간다.

최 부제

으아아아...

쥐들을 밟고 그냥 냅다 달린다. 뒤에서 소리 지르는 경찰.

후임경찰

멈춰! 거기 서!

이를 악 문 채 복도를 달리는 최 부제. 계단으로 뛰어 내려간다.

97. 영신의 집 골목. 밤

어두운 계단에서 뛰어 내려오는 최 부제. 계단 안에서 들려오는 쥐
떼들의 소리들.
최 부제는 로데오 거리 쪽으로 뛰어가기 시작한다.
코너를 꺾어 다른 골목으로 뛰어가는 최 부제.
멀리 뒤에서 그를 쫓는 후임경찰.

후임경찰

거기 서! 새끼야!

98. 다른 골목과 좁은 길. 밤

골목과 골목을 달려가는 최 부제. 돼지를 안고 미친 듯이 달려간다.
뒤에서 들려오는 후임경찰의 목소리.
계속 꽥! 꽥! 거리는 돼지. 최 부제 골목에서 뛰어나오는 순간 스쿠터와
쾅! 부딪힌다.

최 부제

으앗!

스쿠터와 함께 바닥에 쓰러진 최 부제.

최 부제

으으으...

팔에 피가 흐르고 더 심해지는 검은 반점. 하지만 돼지를 놓치지 않고
꽉 안고 있는 최 부제. 골목에서 쫓아오는 후임경찰과 다른 경찰들.
비틀거리며 일어나는 최 부제. 다시 달리기 시작한다.

99. 로데오 거리 끝 도로. 밤

사람들을 뚫고 차도에 도착한 최 부제. 8차선 도로. 빠르게 다니는 차들.
최 부제는 도로를 따라 계속 달린다.
뒤에서 호루라기를 불며 쫓아오는 후임경찰과 두 명의 경찰.
앞쪽에서 경찰차가 사이렌을 켜며 다가오고,

어쩔 수 없이 도로를 건너기 시작하는 최 부제.

빵! 빵! 아슬아슬하게 도로 중간까지 건너간다. 길 건너편까지 모여든
경찰들.

후임경찰

거기 서!

모여든 경찰들은 서로 계속 무전을 하며 지원을 요청한다.

4차선 도로를 사이에 두고 서로 달려가며 견제하는 경찰들과 최 부제.

가운데 차들이 빠르게 달리고 있어서 경찰들은 건너올 수가 없다.

일단 차선 가운데로 달리는 최 부제. 경찰들도 최 부제를 보며 따라
달려간다.

난장판이 된 도로. 몇몇 경찰들이 경광봉으로 차들을 세우면서 도로를
건넌다.

중앙차선으로 건너와 최 부제를 쫓아오는 경찰들. 앞쪽에서도 길을
건너는 경찰들이 보인다. 포위된 최 부제.

경찰

멈춰! 이 새끼야!

앞쪽에 경찰들이 경광봉을 흔들며 차들을 세우자 최 부제 잽싸게
도로를 건넌다. 꽥! 꽥! 발광하는 돼지. 뒤를 돌아보며 길을 건너는
최 부제.

후임경찰

안 돼! 멈춰!

그때 경찰의 제지를 무시한 커다란 트럭 한 대가 빠앙~! 하며 달린다.
최 부제 돌아보자 눈에 들어오는 트럭의 헤드라이트.

최 부제
하아...

트럭의 불빛에 환해진 최 부제의 얼굴. 그 위에 들리는 김 신부의 목소리.

김 신부 (V.O)
가는 길이 사악하다. 신의 가호가 있기를...

검은 옷의 최 부제를 보지 못한 트럭 기사는 뒤늦게 핸들을 옆으로 튼다.
찰나 최 부제 한 걸음 뒤로 물러나고 아슬아슬하게 최 부제 바로 옆을
스쳐 지나가는 트럭.
그러나 순간 빠악~! 하고 최 부제의 머리에 부딪히는 트럭의 사이드미러.
바로 바닥에 꼬꾸라지는 최 부제.
그리고 쾅! 옆으로 쏠린 트럭은 도롯가의 커다란 전봇대에 부딪힌다.
바닥에 피를 흘리며 쓰러져 있는 최 부제. 조금 떨어진 곳에 팔, 다리가
묶인 채 파닥파닥거리는 돼지. 의식을 잃은 최 부제.
놀란 경찰들도 일단 동작을 멈춘다. 난장판이 된 도로와 모여든 사람들.
트럭에서는 연기가 나기 시작한다.
이마에 피를 흘리며 누워 있는 최 부제. 돼지는 꿈틀거리며 움직인다.
그때 최 부제의 손이 다시 돼지의 다리를 움켜잡는다. 눈을 뜬 최 부제.
주변에 모여든 행인들과 운전사들 그리고 경찰들. 갑자기 후임경찰이
소리친다.

후임경찰

어어어... 안 돼!

트럭과 부딪힌 전봇대가 최 부제 쪽으로 쓰러진다. 소리치는 행인들과 놀라는 경찰들. 누워 있는 최 부제의 눈에 보이는 쓰러지는 전봇대. 쾅! 굉음과 먼지를 내며 도로에 쓰러지는 전봇대. 조용해진 도로. 자욱한 연기 속에 보이는 전깃줄의 스파크. 파파팟! 전깃줄이 끊어지며 주변 상가들의 불이 꺼져버린다.

100. 영신의 집 골목 앞. 밤

골목 초입에 세워져 있는 경찰차들과 구급차. 모여 있는 사람들.
경찰들은 계속 어디론가 무전을 하며 바쁘게 움직인다.
수갑을 찬 채로 경찰차 뒤에 태워지는 김 신부.

101. 경찰차 안. 밤

김 신부는 무표정으로 차창 밖을 본다. 흰 천에 덮여 앰뷸런스에
실리는 영신의 시신.
경찰들에게 무언가 계속 설명하는 박 교수. 김 신부에겐 아무 소리도
들리지 않는다.
운전석에 타고 있는 순경 어딘가로 무전을 하는데, 뒤에서 중얼거리는
소리가 들린다. 돌아본다. 혼자 작게 기도를 하는 김 신부.

102. 로데오 거리 끝 도로. 밤

다시 최 부제의 사고 현장. 경찰들의 무전 소리와 소리치는 소리가
들리고 어두워진 도로에 연기가 자욱하다. 전봇대가 쓰러진 곳으로
모여드는 경찰들. 제일 먼저 사고 지점으로 다가가는 건장한 후임경찰.
천천히 연기 속을 보며 다가간다.
프롤로그에서 돼지가 영신에게 뛰어나온 모습과 비슷해 보인다. 연기
속으로 과감히 들어가는 후임경찰. 하지만 최 부제의 모습은 보이지
않는다.
그리고 길 건너 골목으로 사라지는 최 부제의 뒷모습.

103. 대로변. 밤

비틀비틀 달려가는 최 부제. 그의 품에 안겨 있는 돼지. 머리에 흐르는
피와 상처투성이의 팔. 하지만 그의 눈빛은 살아 있다. 앞에 보이는
택시 한 대.

104. 택시 안. 밤

열리는 택시 뒷문.

택시기사
죄송합니다. 일산 파주만 모실게요.

졸다가 일어난 택시기사가 백미러로 뒤를 보자,
피투성이의 신부복을 입은 최 부제가 쓰러지듯 앉아 있다.

택시기사
일...산... 파주...

최 부제
아저씨... 제일 가까운 한강 다리로 가주세요.

놀란 택시기사.

택시기사
아니. 신부님... 병원 먼저...

최 부제
제발... 가주세요.

택시기사
...

묘한 표정의 택시 기사 고민한다.
잠시 후, 출발하는 택시.

105. 도로 / 택시 안. 밤

급하게 유턴하는 택시.
사고가 난 현장을 비상등을 켜고 지나가는 택시.

택시기사
어허... 여기 사고가 났구만...

택시 뒷좌석에서 들리는 작은 기도 소리. 발광하며 몸부림치는 돼지.
그리고 그 위에 올려져 있는 붉은 묵주.
주황색 택시는 유유히 사고 현장을 벗어난다.

한적한 도심을 달리는 택시.
그리고 그 위에 들리는 최 부제의 나지막한 기도 소리.

최 부제 (V.O)
하느님의 영, 주님의 영.
성부와 성자와 성령의 지극히 거룩하신 삼위시여,
티 없으신 동정녀, 천사들과 대천사들,
천국의 모든 성인들이여 제 위에 내리소서.

106. 한강 다리 위 택시 안. 밤

지하철이 지나가는 한강 다리 위에 멈추는 택시.

택시기사

자... 도착했습니다. 신부님.

최 부제 급하게 주머니에서 지갑을 꺼내 만원짜리 몇 장을 준다.

택시기사

이렇게 많이...

최 부제

아뇨. 괜찮아요.

최 부제는 돼지를 안고 뒷문을 연다. 하지만 열리지 않는 문.
덜컥덜컥 계속 열려고 하지만 열리지 않는 문.

택시기사

어... 아이씨. 또 고장인가.

택시기사는 잠금 버튼을 계속 누르지만 열리지 않는다.

택시기사

반대편으로...

최 부제는 빠르게 반대편 문손잡이를 잡고 당긴다. 열리는 문.
그때 바로 옆 차선을 달리는 라이트가 꺼진 차 한 대가 빠르게 다가온다.
천천히 열리는 뒷문. 사이드미러를 보고 놀라는 택시기사.

택시기사

어어어!

빠아아앙! 들리는 클랙슨 소리와 문을 여는 최 부제. 문은 열리다 멈추고, 빠앙! 큰 소리를 내며 스치는 자동차. 놀라는 최 부제의 얼굴. 무사히 지나가는 승용차.
다행히 최 부제를 잡아당기고 있는 택시기사. 서로 바라본다. 놀란 표정의 택시 기사.

택시기사

신부님... 얼굴이...

검은 반점이 최 부제의 얼굴까지 올라오고 한쪽 눈은 붉게 변해간다.

107. 경찰차 안. 밤

달리는 경찰차 안. 앞좌석에 있는 무전기에서 계속 들리는 최 부제를 찾는 무전.
뒷좌석에서 붉은 묵주를 만지며 계속 기도하는 김 신부.

108. 한강 다리 위. 밤

떠나는 택시. 돼지를 안고 다리 가운데로 뛰어가는 최 부제.
최후의 발악을 하는 돼지. 꽥! 꽥! 최 부제의 얼굴에 더 심해지는 검은 반점.

김 신부 (V.O)

시간이 지나면 마지막 숙주는 구마사가 되는 거다.

한강 다리 가운데에 도착한 최 부제. 돼지를 한강으로 던진다.
그때 촤! 소리를 내며 지나가는 다리 위의 지하철.
이상하게 다리 가운데에서 아래로 몸을 기울이고 있는 최 부제.
최 부제의 손을 물고 늘어지며 매달려 있는 돼지. 일그러지는 최 부제의
얼굴.

최 부제

(다리 아래 시커먼 한강을 바라보며)

하아...

촤! 소리를 내며 다리를 지나가는 반대편 지하철.

Insert
높게 떠 있는 보름달과 한강 다리의 전경.

109. 한강 다리 위. 밤

지하철이 다 지나간 조용한 한강 다리 위.
아무것도 보이지 않는다.
카메라 천천히 한강 다리 밑으로 내려간다.

110. 경찰차 안. 밤

기도를 멈추는 김 신부. 수갑을 차고 있는 자신의 팔을 본다.

111. 한강 다리 아래. 밤

멀리 강남 불빛이 보이는 어두운 동호대교 아래 한강 둔치.
검은 한강에서 무엇인가 기어 올라오는 것이 보인다.
허리를 숙인 채 헉헉거리는 최 부제가 어둠 속에 보인다.

112. 한강 다리 계단. 밤

계단을 올라가는 최 부제의 뒷모습.

113. 한강 다리 위. 밤

물을 뚝뚝 흘리며 한강 다리를 다시 걸어가는 최 부제. 다리
가운데에서 다시 멈추어 선다.
바닥에 떨어져 있는 붉은 묵주.
그것을 다시 집어 드는 최 부제.
얼굴이 제대로 보이자 다시 원상태로 돌아와 깨끗해진 얼굴이다.

114. 경찰차 안. 밤

김 신부의 팔에서 점점 사라지는 검은 반점들.
김 신부는 창밖을 보며 작게 고개를 끄덕인다.

115. 앰뷸런스 안. 밤

구급요원이 타고 있는 앰뷸런스 안. 그 뒤로 보이는 흰 천으로 덮여 있는 영신의 시신.
카메라 천천히 다가가자 영신의 손이 작게 움직이기 시작한다.

116. 한강 다리 위. 밤

한강 다리 위에 홀로 남겨진 최 부제. 걷기 시작한다. 멀리 보이는 도시의 불빛.
카메라는 최 부제의 뒷모습을 따라간다. 복잡한 표정의 최 부제. 계속 걸어간다.
그리고 그의 손에 쥐어진 붉은 묵주.

〈끝〉

오컬트 3부작 : 장재현 각본집
— 검은 사제들

© 2015, ZIP CINEMA
ALL RIGHTS RESERVED

1판 1쇄 인쇄 2024년 4월 25일
1판 1쇄 발행 2024년 5월 16일

지은이 장재현
펴낸이 정유선

편집 손미선
디자인 퍼머넌트 잉크
제작 제이오

펴낸곳 유선사
등록 제2022-000031호
ISBN 979-11-986568-1-0 (04680)
      979-11-986568-4-1 (세트)

문의 yuseonsa_01@naver.com
instagram.com/yuseon_sa